la cocina de

México

Botanas, huevos y salsas

ISBN: 84-96249-01-8
Depósito Legal: M. 35.125-2003

© Dastin Export, S. L.
Calle M, número 9, Polígono Industrial Európolis, 28230 Las Rozas (Madrid)
Teléfono (+ 34) 91 637 52 54-36 86
Fax: (+ 34) 91 636 12 56
E-Mail: dastinexport@dastin.es
www.dastin.es

Impreso en Cofás, S. A.
Composición y fotomecánica: IRC, S. L.

Impreso en España – *Printed in Spain*

Contenido

Botanas

Introducción	11
Aguacates con camaroness	32
Apio guisado	24
Barquitas de papas con mayonesa	31
Bolillos rellenos	30
Budín de papas	20
Chilapitas	47
Chulapas	41
Conchitas de pescado	16
Costroncitos "Bella Aurora"	26
Croquetas	17
Croquetas de carne	25
Croquetas de coliflor	18
Croquetas de pescado	19
Ensalada de pollo, camarones y mejillones	29
Filetes de arenques ahumados	22
Flautas rellenas	62
Garnachas estilo Puebla	61
Gorditas de frijol	42
Gorditas de morelia	57
Indios vestidos	59
Jamón enrollado a la gringa	23
Jitomates rellenos	39
Mejillones rellenos	21
Pambacitos fritos	60
Pan de chorizo	56
Papazul estilo Yucatán	58
Peneques rellenos de queso	40
Princesitas	27
Quesadillas de Huitlacoche	35
Quesadillas potosinas	45
Quesadillas de sesos	37

Quesillo asado en salsa verde	34
Rollitos de jamón en ensalada	28
Sincronizadas	49
Sopecitos	52
Sopecitos de chile con huevo	46
Sopecitos de tortilla fría	53
Sopes	51
Tacos de huevo revuelto	55
Tacos de papa con chorizo	54
Taquitos de raja	50
Tlacoyos de frijol	43
Tlacoyos rellenos de chicharrón	63
Tlacoyos tlaxcaltecas	44
Tostadas oaxaqueñas	33
Tostaditas de tuétano	48

Tamales

Tamales (rojos y verdes)	65
Tamales de almendra	69
Tamales en cazuela	70
Tamales de dulce	66
Tamales de elote	64
Tamales de muerto	68
Tamales de vigilia en timbal	67

Huevos

Huevitos en faltriquera	83
Huevos Bertini	76
Huevos en camisa	89
Huevos en cazuela	90
Huevos con chiles anchos	79
Huevos al horno con jitomate	92
Huevos a la mexicana	80
Huevos al minuto con rajas	78
Huevos con camarones	71
Huevos en rabo de mestiza	81
Huevos rancheros	73
Huevos rancheros (otros)	82
Huevos revueltos a la mexicana	84
Huevos en salsa verde	85

Revuelto de bacalao   77

Tortilla de chícharos   75

Revuelto de huevos con jitomate   91

Tortilla de macarrones   86

Tortillas rellenas   87

Salsas

Chimole   103

Guacamole mixteco   110

Michichitextli   102

Salsa ali-oli   105

Salsa de almendras   117

Salsa de apio   121

Salsa bechamel   106

Salsa bechamel con cebolla   113

Salsa bechamel con champiñones y jitomate   119

Salsa bechamel al queso   120

Salsa bechamel verde   114

Salsa borracha   94

Salsa de cacahuate   95

Salsa compuesta   123

Salsa con limón   116

Salsa costeña   93

Salsa endiablada   97

Salsa de jitomate   96

Salsa de jitomate con chile cascabel   101

Salsa de jitomate verde con aguacate   100

Salsa de jitomates con ajo y perejil   108

Salsa de manteca   122

Salsa de molcajete   98

Salsa de mostaza para la carne de puerco   111

Salsa española   115

Salsa fácil   109

Salsa mayonesa   104

Salsa mexicana   99

Salsa real   107

Salsa tártara   118

Salsa vinagreta   112

Glosario   124

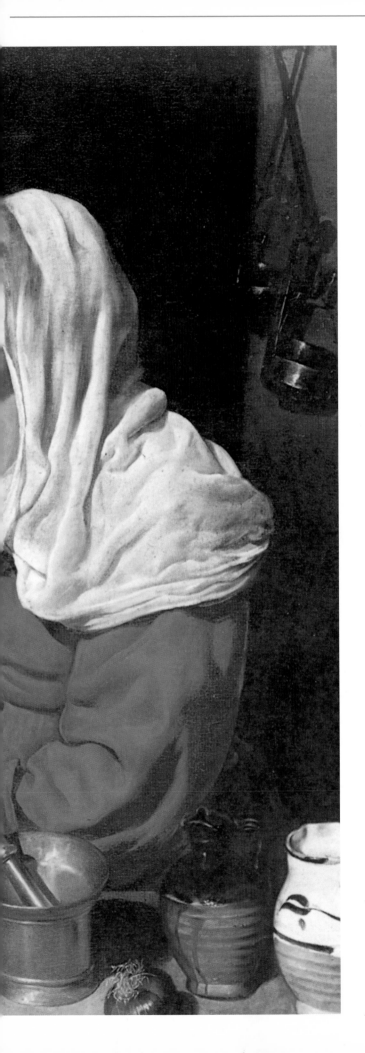

Introducción

La inmersión al mundo de la gastronomía de México puede quedar siempre coja si no se aborda el mundo de las botanas, los tamales, los huevos y las salsas. Pocos puntos del planeta incluyen en su gastronomía la exquisitez de los aperitivos propios a una comida que se precie. No hay mexicano que, bebiendo dentro o fuera de casa, en fiestas o días normales, deje de probar alguna botana para acompañar los momentos previos a la comida.

Allí el bermejo chile colorea
y el anaranjado ají no muy maduro,
allí el frío tomate verdeguea,
y flores de color claro y oscuro...

Así escribía Eugenio de Salazar en su *Poesía Novo-hispana 1530-1603*, como otros lo han hecho años más tarde, dando fe escrita de que no hay plato mexicano sin el inseparable chile, precursor de las salsas que le dan sabor y alegría a la cocina de ayer, hoy y siempre.

Pero a todo señor, todo honor,
rindamos al chile el merecidísimo
homenaje de rastrear sus andanzas
desde nuestra cocina prehispánica
hasta las mesas universales.

Escribió el poeta Salvador Novo, cronista de la Ciudad de México, en su *Cocina Mexicana o Historia Gastronómica de la Ciudad de México.*

En efecto, vemos una combinación entre algunas botanas y las salsas elaboradas con chiles. Y el chile, damas y caballeros, señores y señoras, impone su férrea disciplina en la culinaria mexicana. Los hombres que poblaron México desde la prehistoria y trabajaron la tierra cultivaron cuatro productos que han sido el alma máter de la alimentación en este país, desde entonces: el chile, el maíz, el frijol y la calabaza. Hay un centenar de clases de chiles y sus nombres varían de acuerdo a la región donde se producen, si son frescos y secos. El chile (*capsicum annuum*) tiene propiedades medicinales y nutritivas, está compuesto de hidratos de carbono, sustancias nitrogenadas y vitamina A y C.

Una prueba de los nombres con los que se conocen popularmente es suficiente para introducirnos en ese mundo de sabores, generalmente «picantes»; la intensidad o no del «picante» no depende únicamente de la cantidad, sino del tipo de chile de que se trate: chile de árbol (tiene fama de ser muy picante, es pequeño e irregular), pasilla (es largo y delgado, de color rojo), habanero (también muy picante, es largo y oloroso, su color depende de su madurez: verde o naranja), jalapeño (no es muy picoso, pero puede dar algún susto; lo ubicamos en un término medio si se trata del cuaresmeño, pero si es el pequeño, tiene mayor potencia), guajillo (tiene un color que va del verde claro al oscuro, es largo y delgado, de piel lisa y gruesa), piquín (va del color verde al rojo cuando madura, es muy picante; es como el chiste, chiquito pero picón; algunos lo usan molido), el chipotle (se seca y ahuma, es oscuro muy rojo, aromático y muy picoso).

Con estos chiles y otros muchos se hacen salsas verdes, rojas, se combinan con adobos, valen para distintos moles o guisos; en otros casos se hacen en escabeche o se capean y, si se quiere hablar de uno de los chiles más famosos, éstos serán sin duda los chiles en nogada, un platillo típico de temporada, para los meses de julio a septiembre, que es la época de la nuez. Se trata de uno de los platillos más sofisticados y barrocos de la cocina mexicana, porque se sirve como si estuviera recargado de pedrería plateresca y además es muy elegante. Los chiles en nogada se rellenan de picadillo y se revisten como si fuera un «arcón sellado» con una capa de huevo, se bañan con crema de nuez de Castilla y vino moscatel y se tachonea con botones rojos de granada, sin que tampoco falte el socorrido perejil.

Las referencias de la cocina mexicana, que se remontan a la época prehispánica, conllevan de forma paralela tradiciones que perduran, como la forma de cocinar (bajo tierra, por ejemplo, como se hace el cordero en Hidalgo) o el instrumental que ha pasado de generación en generación. Así pues, pasó hasta nuestros días el famoso molcajete, donde se sirven las distintas salsas que conocemos. Las salsas y los molcajetes van casi siempre unidos, a pesar de que se sirvan también en recipientes de vidrio o porcelana. En la cocina tradicional y popular, las salsas se hacen precisamente en los molcajetes que, como todo el mundo sabe, es de piedra. Valga el paréntesis para recalcar que no es lo mismo hacer café en olla de barro, que en una moderna cafetera; nunca sabrá igual, independientemente del tipo del café. Aquí lo que importa es dónde se hace el café, no con qué clase, aunque este aspecto también tenga su importancia.

Las botanas, en algunos casos, pueden equipararse a auténticas comidas, pero sin llegar a ese extremo; se puede decir que se incluyen los clásicos cacahuetes, el queso fresco o curado, las aceitunas, las tostadas de maíz con queso fundido o con ceviche, nopales, chalupas, cebollitas asadas...

Los tamales tienen una raíz prehispánica y están hechos a base de maíz, la planta maravillosa de los indígenas de entonces y de los mexicanos de ahora. Se conocen los distintos productos que pueden hacerse con el maíz, empezando por la tortilla –los indios usaban las tortillas como cucharas, en lugar de los dedos–: atoles, quesadillas, sopes, galletas, chalupas, peneques, molotes, picadas, tlacoyos, pozol, balché, chorote, gorditas, sopas, chilaquiles, panuchos, pozoles, pinoles y... tamales, con los que se puede desayunar, comer, merendar o cenar, y valen para cualquier tiempo y lugar de México.

Hay cuarenta y una razas de maíz en México (dulce, arrocillo, cónico, reventador, otaveño, apachito, conejo, bolita, ratón, tuxpeño, celaya, tehua o jala) y un montón de formas de hacer los tamales, incluso de chivo, como dice el dicho. Los tamales más clásicos son los de «verde, dulce y rojo», como les llaman en la capital mexicana; el primero y el segundo pican un poco y están rellenos de carne, con salsa verde o roja; el dulce tiene ese sabor que se acrecienta con las pasitas que le ponen. A otros tamales se les pone pollo con mole. Hasta ahí, no hay sofisticación, porque, como muchos tamales mexicanos, están envueltos en hojas de mazorca de maíz, la protección habitual; en otras zonas les ponen incluso maíz en grano y les llaman «tamales de elote», que es como si fuera una repetición, con la masa de maíz y los granos. Los tamales es decir, la masa de nixtamal cocido al vapor, pueden ser envueltos, como se ha dicho, en hojas de mazorcas de maíz y otras plantas, como «el platanillo, la chaya y el acuyo».

Más complicados resultan otros tamales; entre otros, los chiapanecos, como los tamales de chipilín, envueltos en hojas de totomostle o de plátano, o los oaxaqueños. En la época prehispánica tuvieron mucho auge los tamales en el sudeste de México, muy diversificado, sobre todo en Yucatán. Para completar el cuadro los tamales se acompañan con atoles de diversos sabores.

Y en el mundo del huevo, nada como un buen desayuno junto con sus frijoles o su carne asada, con enchiladas o jamón. Casi siempre hay un huevo (revuelto, frito, pasado por agua, con tortillas y salsa de jitomate, o hecho como «omelettes», es decir, «a la francesa») en la vida de un desayuno mexicano y fama tienen éstos de ser frugales, como antaño, porque en esto parece que no se ha perdido la tradición. Esto decía un empresario alemán radicado en Veracruz, sobre los desayunos de «una casa rica», rescatado por Martín González de la Vara: «A las ocho de la mañana –relataba Carl Christian Sartorius en el siglo XIX– toman una tacita de chocolate con pan dulce, pero la familia no se une para este refrigerio. A las diez hay un desayuno caliente: carne asada o estofada, huevos y el plato de frijoles, que nunca falta; éstos se cuecen primero y después se fríen con manteca y cebolla. A las tres de la tarde se sirve la comida, que consta de ciertos platillos, siempre los mismos: primero una taza de caldo delgado, luego sopa de arroz, pasa o una especie de budín o torta cocida en caldo hasta que el líquido se evapora totalmente y muy sazonado con tomates...».

Los mexicanos del tercer milenio no han perdido esa tradición y, por lo que hace al desayuno, en circunstancias normales, siempre habrá un par de ellos, tomados incluso con leche (si se tiene prisa, por ejemplo) y con frutas, en un batido. Famosos y muy conocidos en México son los «huevos motuleños», originarios de Yucatán, preparados con tortillas ligeramente doradas, pero que se puedan doblar, con salsa de tomate. Y por la influencia española, los mexicanos aprendieron a hacer la «tortilla española», a la que se le añade, al gusto, pimientos rojo, chícharos, camarones, champiñones, berenjenas o atún. Esta tortilla española siempre lleva cebolla.

A los huevos revueltos se les ha «nacionalizado» con el título de «a la mexicana», valga la expresión, que, sin pretender dar la receta, simplemente llevan los colores nacionales: el verde por el chile, el blanco por el huevo y el rojo por el jitomate que se le pone. Así de simple; tan simple también como que a la carne machaca del norte se le pone huevo; si no, tampoco se llamaría así. Simple, ¿no?

CONCHITAS DE PESCADO

4 piezas   30 minutos   Dificultad: media

Ingredientes: 200 g de róbalo • 3/4 de litro de leche • 1 cucharada y media sopera de harina
Cebolla • Aceite • 1 yema de huevo • 50 g de queso rallado.

Se desmenuza el pescado hervido o frito, quitándole las espinas y escamas. Aparte, en una cacerolita, se fríe un trocito de cebolla picado finamente, en aceite, poniéndole sal. Cuando adquiere color, se le añade la harina, se le da unas vueltas y se añade, poco a poco, la leche, removiendo siempre para evitar que se formen grumos. Se deja que hierva cinco minutos y se añade un poco de queso rallado y el pescado desmenuzado, así como la yema deshecha.

Con esta bechamel compuesta se llenan las conchitas (coquillas) (o platitos individuales que vayan al horno), se espolvorean con el resto del queso rallado y se doran en el horno fuerte.

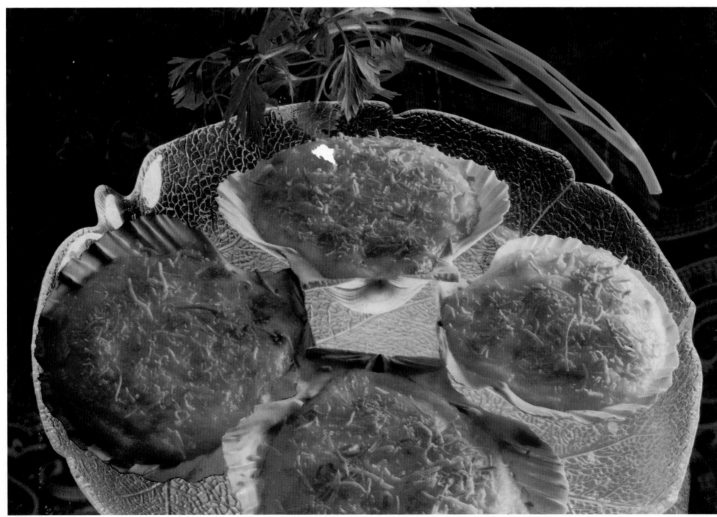

16

CROQUETAS

4 piezas • 60 minutos • Dificultad: media

Ingredientes: 8 huevos • 2 docenas de mejillones • Salsa bechamel • Nuez moscada
Pan rallado • Aceite • Sal.

Se cuecen los huevos hasta que queden duros y se abren por la mitad, a lo largo. Se retiran las yemas y se rellenan las claras con mejillones abiertos al vapor. Hecho esto, se prepara una bechamel espesa, a la que se pone un poco de nuez moscada para perfumarla. Cuando esté fría se pasan los huevos rellenos con los mejillones por esta salsa y se pasan por pan rallado y se fríen en aceite caliente. Se sirven en el acto.

CROQUETAS DE COLIFLOR

4 piezas   40 minutos   Dificultad: baja

Ingredientes: 1 coliflor • 1 cebolla • Harina • Leche • 1 huevo • Pan rallado.

Se hierve la coliflor en agua salada, se escurre y se tritura.

En la sarten, se fríe en manteca la cebolla bien picada, se agrega un poco de harina, se remueve y se añade leche y la pasta de coliflor preparada, cuidando de que quede espesa cuando haya hervido un rato.

Se deja enfriar esta pasta y entonces se forman las croquetas, pequeñas, que se pasan por huevo y pan rallado, y se fríen en aceite caliente.

CROQUETAS DE PESCADO

4 piezas   30 minutos   Dificultad: media

Ingredientes: 200 g de pescado • Harina • Leche y manteca • Aceite
Pan rallado • 2 huevos • Sal.

Se fríe el pescado enharinado y se desmenuza, quitándole pieles y espinas.

En la sartén se pone manteca, se tuestan tres o cuatro cucharadas soperas colmadas de harina y se deshacen en leche hasta obtener, al hervir, una pasta espesa a la que se pone sal y el pescado desmenuzado.

Se deja enfriar y se forman las croquetas, que se enharinan, se pasan por huevo batido y pan rallado antes de freírse en aceite bien caliente.

Se sirven adornando la fuente con ramitas de perejil. Se acompañan con una lechuga, berros, escarola, etcétera.

Para mejorar la pasta de las croquetas, puede ponérsele una yema de huevo, un poco de nuez moscada rallada y un trozo de manteca.

BUDÍN DE PAPAS

4 piezas   60 minutos   Dificultad: media

Ingredientes: 1 kg de papas • Sal • Dos yemas de huevo • 60 g de manteca • 60 g de queso rallado Pan rallado • Un poco de leche.

Se hierven las papas con piel, se pelan y se machacan bien o se pasan por el pasapurés. Se sazonan con sal las dos yemas de huevo, se les pone la manteca (guardando un trocito aparte) y el queso rallado, agregando también un chorrito de leche.

Se deposita la pasta en una fuente honda que vaya al horno y se espolvorea con pan rallado, acabando por poner en la superficie el resto de la manteca. Se dora en el horno fuerte y se sirve caliente aún, pero dejándolo enfriar un poco, en la misma fuente.

MEJILLONES RELLENOS

4 piezas   15 minutos   Dificultad: media

Ingredientes: 3 ó 4 docenas de mejillones • 100 g de jamón • Un trozo de pollo cocido
Harina • Leche • Jitomate • Ajo • Perejil.

Se lavan, raspan y limpian bien los mejillones, que han de ser grandes, y se ponen al fuego para que se abran.

Se guarda aparte el jugo que han soltado y en una sartén se fríe un picadillo de pollo, jamón, al que se pone harina, leche, jitomate, ajo y perejil picados, y el jugo de los mejillones. Se deja que cueza todo junto, y cuando forma una pasta espesa, se rellenan con ella las conchas vacías, poniendo en cada una de ellas el mejillón correspondiente en el medio.

Hecho esto, se rebozan las conchas en huevo y pan rallado, se fríen en aceite y se sirven muy calientes.

FILETES DE ARENQUES AHUMADOS

4 piezas   **30 minutos**   **Dificultad: alta**

Ingredientes: Arenques • Leche • Media botella de vino blanco • Pimienta negra • Sal, perejil, cebolla y tomillo
Dos rodajas de limón • 1 hoja de laurel • Un clavo de olor.

Al desalar los arenques, se dejan en un plato cubiertos de leche (los filetes levantados, eliminando las cabezas, la piel, la espina central y las tripas) durante dos o más horas, según su tamaño. Se pone una cacerola al fuego con media botella de vino blanco, la mitad de agua, unos granos de pimienta negra, un poco de sal, dos rodajas de limón, perejil, una hoja de laurel, tomillo y un clavo de olor. Todo junto hierve durante un par de minutos y se deja enfriar. Se pasa entonces por un colador fino, se pone en otra cacerola, se agregan los filetes desalados y secados con un trapo, y se deja que arranque un hervor. Se dejan enfriar con la cacerola tapada.

JAMÓN ENROLLADO A LA GRINGA

4 piezas   15 minutos   Dificultad: media

Ingredientes: 4 rebanadas de jamón cocido • 100 g de chícharos • 2 papas • Alcaparras • 2 pimientos morrones
4 pepinillos • 1 lechuga • Mayonesa.

Se emplea jamón cocido, contando una rebanada por comensal. Se prepara un relleno de chícharos hervidos y fríos, papas hervidas y cortadas en cuadraditos muy pequeños, unas alcaparras, unos pimientos morrones de lata finamente picados, trocitos de pepinillos en vinagre, trocitos de lechuga muy pequeños, etcétera, como para una ensalada rusa. Todo esto se envuelve en una mayonesa muy espesa y se pone una cucharada de la mezcla sobre cada trozo de jamón glacé, que se enrolla con el tenedor, sirviéndose en forma de tubo.

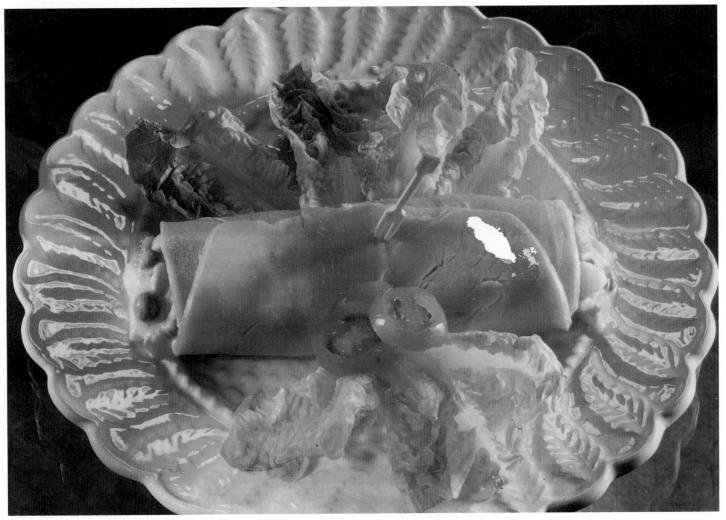

APIO GUISADO

👥 4 piezas   🕐 60 minutos   👨‍🍳 Dificultad: baja

Ingredientes: 1 tronco de apio • Aceite • Vino blanco seco • 1 cebolla • 1 limón • 2 dientes de ajo • Sal Pimienta • Hinojo.

Se corta un apio en trozos regulares, aprovechando tan sólo las partes blancas. Se echa en una cacerola, cubriéndolo de agua y añadiéndole aceite, vino blanco seco, una cebolla partida a ruedas, un trozo de limón, unos ajos enteros, sal, pimienta y un poco de hinojo.
Se hace hervir a fuego vivo y, cuando haya cocido unos minutos, se disminuye el fuego para que vaya cociendo lentamente durante otro cuarto de hora. Se comprueba la cocción pinchando el apio con un tenedor y, cuando esté tierno, se deja enfriar en el mismo caldo.
Para servirlo, se pasa a una fuente y se rocía con su caldo pasado por un colador fino. Se pone unos momentos en el refrigerador, ya que ha de servirse muy frío.

CROQUETAS DE CARNE

4 piezas   30 minutos   Dificultad: media

Ingredientes: 500 g de carne • Manteca • 1 cebolla • 2 huevos • Sal • Pimienta • Miga de pan Pan rallado • Aceite.

Se pica la cantidad necesaria de carne con cebolla y se pasa por la sartén con manteca. Cuando esté frita, se le agregan dos yemas de huevo y una clara bien batida, sal y pimienta, así como un trozo de miga de pan mojada y exprimida. Se envuelven las croquetas, que se van formando con una cuchara, en huevo batido y pan rallado, y se fríen en aceite caliente.

COSTRONCITOS BELLA AURORA

4 piezas   10 minutos   Dificultad: baja

Ingredientes: 4 rebanadas de pan • Aceite • 4 rebanadas de jamón • 1 trocito de apio blanco • 50 g de alcaparras • 50 g de pepinillos en vinagre • Salsa mayonesa • Mostaza • 1 huevo duro • 4 aceitunas.

Se fríen en la sartén las rebanadas de pan, dorándolas por ambos lados. Se ponen en una fuente y se cubren con rebanadas de jamón del mismo tamaño, sobre las cuales se pone una cucharada de la siguiente elaboración:

Se mezclan unos trocitos pequeños de apio con algunas alcaparras y rodajitas de pepinillos en vinagre, mezclándolo con una salsa mayonesa a la que se añade, una vez hecha, media cucharadita de mostaza.

Se remata el costroncito con un trozo de huevo duro y una aceituna.

PRINCESITAS

4 piezas   20 minutos   Dificultad: media

Ingredientes: 3 huevos • harina y aceite • 50 g de manteca • 50 g de queso de Parma rallado Leche y perejil.

En una cazuela se ponen dos cucharadas de manteca. Cuando esta grasa esté derretida, se añade una cucharada de harina, leche y perejil picado menudito; se elabora una bechamel espesa, que se deja enfriar.

Se baten tres huevos y, cuando estén bien batidos, en una sartén pequeña se pone un poco de aceite. Se echa una cucharada del huevo batido, se retira del fuego y en seguida se echa una cucharada de bechamel; se dobla como una tortilla y se coloca en una fuente que resista el horno. Se vuelve a poner la sartén al fuego con otra cantidad de aceite, y se realiza la misma operación. Las tortillitas así obtenidas se van colocando en la fuente. Se cubren de queso de Parma y se cuecen en el horno durante cinco minutos.

ROLLITOS DE JAMÓN EN ENSALADA

4 piezas   15 minutos   Dificultad: baja

Ingredientes: 100 g de jamón cocido • 1 coliflor pequeña • 1 pechuga de pollo • 2 papas • Apio
8 cucharadas de salsa mayonesa.

Se pelan las papas, se cortan en cuadritos y se cuecen en agua con sal. Separamos la coliflor en ramitos y la cocinamos en agua hirviendo con sal. Pelamos el apio y lo cortamos en trocitos. Mezclamos en una ensaladera con las papas la coliflor y el apio, y rellenamos con ello las lonchas de jamón. Servimos bien frío.

ENSALADA DE POLLO, CAMARONES Y MEJILLONES

2 personas   30 minutos   Dificultad: baja

*Ingredientes: 1 pechuga de pollo asada • 200 g de camarones • 200 g de mejillones • 1 pimiento rojo
y otro verde • 1 lechuga pequeña • 1 cebolla • 2 naranjas • 2 huevos duros • 2 cucharadas de mostaza
2 cucharadas de crema • 2 cucharadas de vinagre • 4 cucharadas de mayonesa • Sal y pimienta.*

Se lavan y escurren las hojas de lechuga y se cortan a trozos, colocándolas en la ensaladera. Los pimientos se lavan y cortan a tiras; la cebolla, a rodajas; la pechuga se filetea, y las naranjas, peladas, se cortan a daditos. Los camarones cocidos se pelan y los mejillones se pueden usar directamente de la lata. Incorporamos todos estos ingredientes a la ensaladera y elaboramos la salsa batiendo la crema con la mayonesa, la mostaza, el vinagre; sazonamos con sal y pimienta y aliñamos la ensalada. Dejamos una hora en el refrigerador antes de servir.

BOLILLOS RELLENOS

4 piezas   **20 minutos**   **Dificultad: media**

Ingredientes: 4 bolillos • 150 g de jamón • 1 trozo de carne asada
Perejil • Sal • Leche • 2 huevos • Aceite • Manteca.

Se cortan los panes a lo largo y se elimina parte de la miga. El hueco se rellena con un picadillo hecho con el jamón, la carne y el perejil, trabado con una yema de huevo.

Luego, se mojan en leche y, en el momento de servirlos, se rebozan con huevo y se fríen en el sartén con aceite o manteca muy calientes.

BARQUITAS DE PAPAS CON MAYONESA

4 piezas   25 minutos   Dificultad: baja

Ingredientes: 12 papas pequeñas alargadas • 150 g de chícharos • 2 zanahorias • Salsa mayonesa
Una yema de huevo duro.

Las papas se pelan, se cortan por la mitad y se ahuecan un poco en el centro con el cuchillo y una cucharita, dándoles la forma de una barquita. Se ponen estas barquitas en una cacerola con agua fría algo salada y se cuecen a fuego moderado durante veinte minutos, cuidando que queden bien enteras. Estarán en su punto cuando se puedan picar fácilmente. Se retiran, se escurren bien y se dejan enfriar.

Por otra parte, se prepara una mezcla con los chícharos, las zanahorias (ambos hervidos y colados), la yema de huevo duro y la mayonesa. Se rellenan las barquitas de papas con esta mezcla y se dejan en la heladera un par de horas, ya que han de comerse frías.

31

AGUACATES CON CAMARONES

4 piezas   **30 minutos**   Dificultad: baja

*Ingredientes: 4 aguacates • 250 g camarones • 1 dl de salsa mayonesa • 3 cucharadas de ketchup
2 cucharadas de coñac • Sal y pimienta.*

Se parten los aguacates por la mitad, se retira la carcasa, se vacía con ayuda de una cuchara y se corta a cuadritos. Rociamos con jugo de limón para que no se oxide.

Pelamos y cortamos a trocitos los camarones, dejando alguno para adornar. Se mezclan los camarones con el aguacate en una ensaladera.

Unimos el coñac y la salsa ketchup a la mayonesa e incorporamos a la ensaladera. Revolvemos con cuidado y rellenamos la cáscara de los aguacates. Servimos con unas hojas de lechuga.

TOSTADAS OAXAQUEÑAS

24 piezas   30 minutos   Dificultad: baja

Ingredientes: 24 tortillas chicas y delgadas • 250 g de frijol cocido y molido • 200 g de manteca (o aceite) 1 pechuga de pollo cocida • 1/4 litro de crema de leche • 1 lechuga • 2 chipotles en vinagre 100 g de queso añejo.

Se cortan las tortillas con un cortador redondo, grande —casi del tamaño de la tortilla—, únicamente para quitarles la orilla; se fríen en la manteca hasta que queden uniformemente doradas y se untan en frijol (que se habrá refrito en manteca y con caldo de los chipotles). Sobre el frijol se pone la crema, el pollo deshebrado, la lechuga finamente picada y sazonada con sal, pimienta y un poquito de aceite y vinagre; después se añade el queso y el chipotle en trocitos.

Las mismas tostadas quedan muy ricas si en lugar de pollo se ponen patitas de puerco en fiambre y picadas.

QUESILLO ASADO EN SALSA VERDE

6 piezas   45 minutos   Dificultad: baja

Ingredientes: 1 kg de queso de Oaxaca • 1 kg de tomates verdes • 1/2 kg de cebollas • 6 dientes de ajo 6 chiles serranos • Cilantro • Aceite y sal.

Se cuecen durante treinta minutos los tomatillos, la cebolla, los chiles y ajos, y se conserva el agua de cocción. Preparamos en una licuadora media cebolla, tres chiles, tres ajos y el agua de cocción. Se fríe luego una rebanada de cebolla, se extrae; se vierte entonces en el aceite la mezcla de tomatillos, se agrega sal y agua, y se cuece lentamente hasta que la salsa quede espesa. Untadas con un poco de aceite, se asan ligeramente rebanadas de queso en la plancha o sartén. Ponemos dos rebanadas en cada plato. Al servir, las acompañamos con la salsa caliente y unas tortillas de maíz recién hechas.

QUESADILLAS DE HUITLACOCHE

12 piezas   60 minutos   Dificultad: baja

*Ingredientes: 12 tortillas • 1 cebolla •1 diente de ajo • 1/4 kg de huitlacoche • 2 ramas de epazote
Aceite y sal.*

Con la masa se forman las tortillas; así crudas, se les pone en el centro el relleno de huitlacoches; se doblan, formándose las quesadillas; se cuecen en el comal, primero de un lado y luego del otro; se sirven luego.

Para preparar el relleno se limpian los huitlacoches muy bien con una servilleta húmeda y se fríen en la manteca; se fríe la cebolla picada, los chiles asados, desvenados y en rajas; se agregan los huitlacoches, el epazote y sal; se tapa la cacerola y se deja en el fuego hasta que estén bien cocidos.

QUESADILLAS DE SESOS

 6 personas   30 minutos   Dificultad: baja

Ingredientes: 1/2 kg de masa para tortillas • 1/2 seso cocido de res • 1 cebolla
3 chiles serranos • 2 huesos de tuétano • Unas hojas de epazote • Harina
Levadura en polvo • Aceite • Sal y pimienta.

Se amasan la harina, los huevos, la levadura, el tuétano caliente y sal; se forma una mezcla con la que se hacen con la mano unas tortillas chicas; se rellenan con los sesos, se doblan formándose las empanadas y se fríen en la manteca caliente. Para el relleno, en la mantequilla se fríe la cebolla finamente picada; cuando esté acitronada se agregan los sesos cocidos y picados, el epazote y los chiles picados y sal; se deja en el fuego hasta que espese.

1. *Ponemos a cocer los sesos; los dejamos enfriar y los picamos.*

2. *Acitronamos la cebolla picada en aceite. Añadimos los chiles, el seso y las hojas de epazote picadas.*

3. *Incorporamos el tuétano, la harina, dos huevos y levadura. Formamos las tortillas.*

4. *Se rellenan con los sesos y se fríen. Se pueden servir con una salsa de tomate.*

JITOMATES RELLENOS

4 personas   30 minutos   Dificultad: baja

*Ingredientes: 8 jitomates • 1/4 kg de pulpa de cerco molida • 2 chiles poblanos
1 cebolla • 1 diente de ajo • Queso rallado • Pan molido • Aceite • Perejil
Sal y pimienta delgada.*

Comenzamos friendo en aceite la cebolla y el ajo picados. Añadimos luego el perejil picado, la carne y los chiles ya preparados y cortados en rajas; sazonamos con sal y pimienta. Pelamos los jitomates, los partimos por la mitad, eliminamos las semillas y los ponemos a escurrir. Los rellenamos con la carne, espolvoreamos con pan molido, cubrimos bien con queso rallado y los asamos. Los servimos con lechuga picada en juliana y aliñada con aceite y vinagre al gusto.

1. Se fríen en aceite la cebolla y el ajo picados; se añade el perejil picado, la carne y los chiles cortados en rajas.

2. Se pelan los jitomates, se parten por la mitad, eliminamos las semillas y ponemos a escurrir.

3. Se rellena con la carne. Espolvoreamos pan molido; cubrimos con queso rallado y asamos a dos fuegos.

4. Servimos con lechuga romanita picada en juliana y aliñada con aceite y vinagre, al gusto.

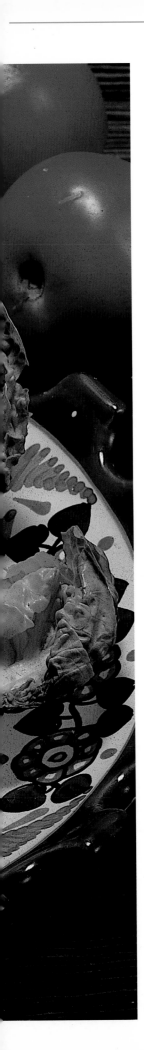

39

PENEQUES RELLENOS DE QUESO

 12 piezas   60 minutos   Dificultad: media

Ingredientes: 12 peneques • 1 jitomate • 2 chiles mulatos • 200 g de quesillo • 50 g de jamón cocido 2 huevos • 1 diente de ajo • 1 dl de nata • 1/2 litro de caldo • Aceite y sal.

Se abren los peneques por un lado y se rellenan con una rebanada de queso; se pasan por la harina y por los huevos, que estarán batidos; se fríen en manteca y se ponen en el caldillo a que den un hervor.

Para preparar el caldillo, en manteca se fríe el jitomate asado, molido con la cebolla y colado; cuando reseca, se agrega el caldo, se sazona de sal y pimienta; se deja hervir y, cuando espesa, se agregan los peneques para que den un hervor.

CHULAPAS

6 piezas   45 minutos   Dificultad: media

Ingredientes: 1/4 kg de masa para tortillas • 1/4 kg de falda de puerco • 150 g de manteca de puerco
4 cebollas • Sal.
Para la salsa verde: 12 tomates verdes, grandes • 2 chiles serranos • Un diente de ajo • Cilantro • Sal.

Se mezcla la masa con un poco de agua tibia para que quede bien suave. Se hacen las tortillas de chalupa, chicas y delgadas, y se cuecen bien.

Para elaborar la salsa verde, se cuecen los tomates y en seguida se muelen junto con los chiles, el ajo y el cilantro; se sazona con sal al gusto.

Se colocan las tortillas sobre una charola de lámina puesta a la lumbre. Se echa sobre las tortillas manteca requemada y la salsa verde. Sobre la salsa se ponen la cebolla picada muy finamente y la carne, que previamente habrá sido cocida y deshebrada. Finalmente, se rocía todo con manteca muy caliente y se sirve.

GORDITAS DE FRIJOL

6 piezas   30 minutos   Dificultad: media

Ingredientes: 1/2 kg de masa para tortillas • 3 chiles anchos • 100 g de queso añejo • 200 g de frijoles cocidos 2 chorizos • Manteca.

Los chiles se desvenan, se tuestan, se remojan en agua caliente, se mezclan con la masa y la mitad del queso rallado hasta que la masa quede bien uniforme. Se forman unas gorditas como de siete centímetros de diámetro, que se fríen en la manteca bien caliente, procurando que queden bien cocidas; al sacarlas,

hay que escurrirlas bien. En una cucharada de manteca se fríen los chorizos desmenuzados y sin pellejo; se sacan; en esta misma grasa se fríen los frijoles molidos con media cucharadita de orégano. Se untan las gorditas con una capa de frijoles; encima se les pone queso desmoronado y un poco de chorizo.

TLACOYOS DE FRIJOL

6 piezas   45 minutos   Dificultad: media

Ingredientes: 230 g de masa para tortilla • 115 g de frijol bayo menudo • 230 g de jitomates asados
150 g de lomo de cerdo • 4 chiles pasilla • 2 dientes de ajo • 1 cebolla • 1 cucharada de manteca.

Se tuestan los frijoles en el comal; se muelen calientes en el metate con una poquita de agua fría para formar como una pasta. A la masa se agrega sal y se hacen tlacoyos, que son unas gorditas de forma ovalada, incorporándoles el relleno del frijol dentro; se cuecen en el comal a fuego suave y, al servir, se les pone encima la salsa con la carne, que se elabora de la manera siguiente:

Se tuestan los chiles, se remojan, se muelen con los jitomates asados, la cebolla asada y los ajos; en la manteca se fríe el lomo cocido y deshebrado; cuando dore, se agrega la salsa y sal; se deja hervir hasta que espese.

Se sirve adornando el plato con jitomates y hojas de lechuga.

TLACOYOS TLAXCALTECAS

6 piezas   45 minutos   Dificultad: media

*Ingredientes: 230 g de habas secas • 460 g de masa para tortillas • 175 g de manteca • 75 g de queso
230 g de tomates verdes • 1 hoja de aguacate • 3 chiles chilpotles • 3 chorizos • 4 cebollas
1/4 de cucharadita de tequezquite.*

Se ponen a cocer las habas con el tequezquite y sal; ya cocidas, se lavan, se escurren bien y se muelen con los chiles chilpotles, que se habrán dorado en la manteca con la hoja de aguacate y sal; esta pasta se fríe en dos cucharadas de manteca. Con la masa de tortillas se hacen tlacoyos, que son como gorditas de forma ovalada; en el centro se pone la pasta de haba y se cubre muy bien con la masa; se cuecen en el comal a fuego muy suave; después se fríen en manteca, se les agrega un poco de salsa, queso desmoronado, chorizo frito y cebolla desflemada y cortada en ruedas.
Para preparar la salsa se cuecen los tomates; se muelen con una cebolla y se fríen con una cucharada de manteca, dejándolos hervir hasta que formen una salsa espesa.

QUESADILLAS POTOSINAS

6 piezas • 30 minutos • Dificultad: media

Ingredientes: 1/4 kg de masa para tortillas • 2 chiles anchos • 120 g de queso del que hace hebra 120 g de jitomate • 3 dientes de ajo • 1 manojo de cebollas con rabo • 3 chiles verdes • 75 g de manteca 1 aguacate.

Se deja orear la masa; se muele con los chiles anchos, remojados y escurridos, y sal. Si queda aguada, se le agrega un poquito de harina para que adquiera la consistencia necesaria para hacer las quesadillas. Se deja reposar 20 minutos y se van haciendo unas tortillas que se cuecen en el comal; en cuanto se coloquen en él, se les incorpora el relleno, se doblan en forma de quesadillas y se siguen cociendo hasta que tengan como bolitas. Se van colocando en un traste hondo cubiertas con una servilleta para que no endurezcan; ya para servirse, se fríen en manteca, se adornan con cebolla, finamente picada, y los aguacates cortados en tiras. Para elaborar el relleno se fríen con una cucharada de manteca los ajos, el jitomate y los chiles picados; se sazona con sal y se deja en el fuego hasta que espese; se retira, se deja enfriar y se agrega el queso desmoronado.

SOPECITOS DE CHILE CON HUEVO

8 piezas   30 minutos   Dificultad: baja

Ingredientes: 1/2 kg de masa para tortillas • 73 g de manteca • 50 g de queso añejo • 8 tomates verdes 6 chiles pasilla • 3 huevos.

Se añade a la masa un poco de agua y una cucharadita de sal, y en un comal se hacen los sopecitos como de 6 centímetros de diámetro. Inmediatamente que se sacan, se pellizcan en derredor para formar una cazuelita; en el comal se les pone un poco de manteca bien caliente; cuando parece que la manteca está hirviendo se agrega chile con huevo y queso por encima, y se sirven en seguida. Se pueden poner unos minutos en el horno, previamente calentado, para que conserven el calor. Los chiles se desvenan, se tuestan ligeramente y se muelen con los tomates (que se habrán hervido), un diente de ajo y un pedazo de cebolla; se fríen en una cucharada de manteca; cuando la mitad de ésta se ha consumido, se agregan los huevos, cuyas claras y yemas se habrán mezclado, se sazonan con sal y se deja que cuajen.

CHILAPITAS

24 piezas   30 minutos   Dificultad: media

Ingredientes: La masa: 1 kg y un poquito más de masa preparada con harina de maíz • 2 cucharadas de harina 1/2 cucharadita de polvo de hornear • 1 cucharadita de sal • 1 y 1/2 tazas de manteca • 1 y 1/2 tazas de aceite vegetal. El relleno: 2 pechugas de pollo cocidas y desmenuzadas • 1 y 1/2 tazas de crema fresca • 1 taza de aguacate finamente picado • 24 rajitas de chipotle enlatado • 48 rebanadas de cebolla blanca diagonalmente rebanadas muy delgadas.

(Las chilapitas se llaman así por una importante ciudad en el estado de Guerrero. La palabra náhuatl significa «río junto al campo de chiles». Este platillo se puede acompañar con frijoles, pollo, chorizo u otros rellenos.)

Se prepara la masa y se agrega la harina, el polvo de hornear y la sal. Se amasa hasta que esté terso. Dividimos la masa en 24 bolitas como de 5 centímetros de diámetro. Con los dedos formamos cazuelitas utilizando un tazoncito engrasado como molde.

Se fríe la masa en la manteca revuelta con el aceite hasta que estén bien doradas. Se extraen y escurren en toallas de papel.

Se sirven calientes, llenándolas con pollo y adornando con crema, aguacate, rajas de chile y cebolla.

TOSTADITAS DE TUÉTANO

 24 piezas   · 25 minutos   Dificultad: media

Ingredientes: 24 tortillas chicas • 300 g de lomo de puerco • 150 g de queso añejo • 460 g de tomate
3 huesos grandes de tuétano • 3 chiles poblanos • 4 dientes de ajo • 2 cebollas • 1 rama de cilantro
1 cucharadita de orégano • 1 lechuga • 1 manojo de rábanos.

Se ponen a cocer los huesos del tuétano; se extrae el tuétano, que se unta a las tortillas encima; se les pone una capa de queso rallado, una de salsa, una de lomo deshebrado; se doran en la parrilla hasta que el queso empiece a fundirse y entonces se retiran; se les pone otra cucharada de salsa y se sirven inmediatamente, adornándose con hojas de lechuga y rabanitos. Para elaborar la salsa, se asan los tomates, se muelen con los chiles asados y desvenados, las cebollas, ajo, cilantro y orégano; se fríen en la manteca, agregando taza de agua y sal, y dejando hervir hasta que espese.

SINCRONIZADAS

18 piezas   **10 minutos**   Dificultad: media

Ingredientes: 18 tortillas chicas y delgadas • 150 g de jamón cocido • 18 rebanadas de queso amarillo
100 g de manteca.
Salsa verde: 250 g de tomates verdes • 1 diente de ajo • 1 pedazo de cebolla • 1 rama de cilantro
Chiles verdes al gusto.

Se pone a cada tortilla una rebanadita de jamón y otra de queso; se doblan como quesadillas, se atoran con un palillo de dientes y se fríen en la manteca bien caliente; se les quitan los palillos, se bañan con la salsa verde y se sirven inmediatamente.

Salsa verde: Se ponen a cocer los tomates verdes en un poco de agua con los chiles verdes; se sacan tan pronto como estén suaves y luego se muelen en el molcajete, junto con la cebolla, el ajo y cilantro; se sazonan con sal.

TAQUITOS DE RAJA

 16 piezas   5 minutos   Dificultad: nedia

Ingredientes: 16 tortillas chicas • 100 g manteca • 50 g de queso añejo • 300 g de jitomate • 4 chiles poblanos 2 cebollas • 1/2 taza de crema de leche.

Con dos cucharadas de manteca se fríen dos cebollas rebanadas; se agregan los chiles asados, desvenados y cortados en rajitas. Estando bien fritos, se añade la crema y el queso; se sazona de sal y se deja secar. Se rellenan las tortillas, formándose los tacos; se fríen en manteca y se sirven con la salsa, preparada de la manera siguiente:
En una cucharada de manteca, se fríe una cebolla picada; se agrega el jitomate asado, molido y colado, se sazona con sal y un poco de pimienta, se deja hervir hasta que espese.

SOPES

25 piezas   30 minutos   Dificultad: media

Ingredientes: 1 kg de masa • 700 g de nixarina • 50 g de harina • 1/4 de longaniza • 300 g de jitomate 3 chiles cascabel • 1/4 de cucharadita de orégano • 2 cucharadas de cebolla picada • 200 g de frijol cocido y molido • 150 g de manteca (o aceite) • 1 lechuga • 50 g de queso añejo • 1 chipotle curado.

Para preparar la salsa, se asan los jitomates y se muelen con un diente de ajo, chile cascabel y orégano; esto se fríe en una cucharada de manteca y se añade un poquito de agua. A la masa se le pone un poco de agua y sal. Si se usa nixarine, se le pone la harina, agua y sal. Se amasa bien para que quede manuable. Se hacen los sopes como de 6 centímetros de diámetro y 7,5 milímetros de ancho; inmediatamente que se sacan del comal, se pellizcan en derredor a fin de formar una cazuelita; se bañan en la salsa, se fríen en la manteca y se untan con frijol, que se habrá molido y frito en la manteca en que se frió la longaniza desbaratada; se extiende un poco de salsa sobre los frijoles, lechuga, queso, cebolla picada, longaniza y pedacitos de chipotle; se adornan con rabanitos en flor. Se sirven bien calientes.

SOPECITOS

16 piezas   20 minutos   Dificultad: media

Ingredientes: 300 g de pulpa de puerco molida • 100 g de manteca (o aceite) • 50 g de queso añejo
1/2 kg de masa para tortillas • 1/2 kg de jitomate • 2 ó 3 chipotles curados • 2 dientes de ajo
1 cucharada de cebolla picada • 1 lechuga.

Se asa el jitomate, se muele con los chipotles, se fríe en una cucharada de manteca y se sazona con sal y una cucharadita de azúcar; se deja freír; se saca del fuego y, agregándole media taza de agua, se separa la tercera parte.

Se le pone en la masa un poquito de sal y agua, y se hacen los sopecitos como de 6 centímetros de diámetro por medio centímetro de ancho. Inmediatamente que se sacan del comal, se pellizcan en derredor para formar una

cazuelita; se bañan en la salsa, se fríen en la manteca, se les pone un poco de picadillo, la lechuga bien lavada y finamente picada; se espolvorean con el queso y se sirven inmediatamente. Para preparar el picadillo, se fríen en una cucharada de manteca la cebolla y el ajo; luego se agrega la carne molida; se deja freír hasta que esté bien cocida; entonces, se le añade la tercera parte de la salsa que se separó y se sazona con sal y pimienta.

SOPECITOS DE TORTILLA FRÍA

16 piezas   20 minutos   Dificultad: media

Ingredientes: 16 tortillas frías, delgadas y chicas • 1 chile ancho • 1/4 de litro de leche • 1/4 kg de jitomate 1 chile verde • 1 cucharada de cebolla picada • 1/8 de litro de crema de leche • 50 g de queso añejo • 1 lechuga.

Se parten las tortillas frías en pedacitos, se cubren con la leche y se dejan en remojo hasta el día siguiente, cuando se muelen con el chile ancho tostado, desvenado y remojado. Con esto se hace una masita, se le pone sal y se van formando unas gorditas como de 6 centímetros de diámetro por uno de ancho; se fríen en manteca, se les incorpora la salsa de jitomate (que se habrá hecho con el jitomate hervido) y el chile verde (molido y frito); sobre la salsa se pone el queso, la cebolla y la crema; se adornan en derredor con la lechuga picada.

TACOS DE PAPA CON CHORIZO

24 piezas   15 minutos   Dificultad: media

Ingredientes: 24 tortillas chicas y delgadas • 1/2 kg de papas amarillas • 2 chorizos • 1 chipotle curado 150 g de manteca (o aceite).
Salsa: 300 g de tomate verde • 3 chiles verdes • 1 ramita de cilantro • 1 cebolla chica • 1 diente de ajo 1/8 de litro de crema de leche.

Se pelan las papas cocidas con cáscara y se parten en cuadritos pequeños. En dos cucharadas de manteca se fríen los chorizos, sin el pellejo, hasta que estén bien cocidos; se agregan las papas, se dejan freír bien, se sazonan con sal y se les pone el chipotle picadito.

Con esto se llenan los tacos, se enrollan, se fríen en la manteca y, aún calientes y abriéndolos un poco, se les pone la salsa verde y la crema. La salsa verde se elabora con los tomates cocidos y con los chiles verdes (molidos en el molcajete junto con la cebolla, el cilantro y el ajo).

TACOS DE HUEVO REVUELTO

24 piezas   20 minutos   Dificultad: media

Ingredientes: 24 tortillas chicas y delgadas • 5 huevos • 250 g de jitomate • 150 g de manteca (o aceite)
1 cucharada de cebolla picada • 1 chile verde picado.
Guacamole: 3 aguacates grandes • 300 g de tomate verde • 2 chiles verdes • 1 ramita de cilantro
1 cebolla chica • 1 lechuga romanita.

Se pica el jitomate y se le quitan las semillas. En tres cuharadas de manteca se acitrona la cebolla, se agrega el jitomate y el chile verde picado, y se deja freír; se añaden luego los huevos enteros, que se revuelven moviéndolos hasta que cuajen, y se sazonan con sal.

Con esto se llenan los tacos, se enrollan, se fríen y se les pone el guacamole (que se prepara como el de los «tacos de barbacoa», pero sin la crema). Se adornan alrededor con hojas sazonadas de lechuga romanita.

PAN DE CHORIZO

 3 piezas   60 minutos   Dificultad: media

Ingredientes: 350 g de harina cernida • 30 g de azúcar • 1 cucharada de sal • 1/3 de sobre de levadura seca 1/2 dl de agua • 30 g de manteca vegetal • 1 huevo.

Mezclamos en el tazón de la batidora tres tazas de harina cernida con el azúcar y la levadura. Aparte, mezclamos el agua, la cual debe calentarse a 60º C (110º F), con la manteca, y la añadimos a los ingredientes secos.
Batimos durante 2 minutos, a velocidad media. Añadimos el huevo y una taza de harina cernida. Batimos durante medio minuto a velocidad baja y luego 3 minutos más a velocidad alta. Agregamos de 3 a 4 tazas de harina cernida y batimos hasta formar una pasta homogénea, hasta que esté suave y elástica.
La cubrimos y dejamos reposar una hora y la acomodamos en tres moldes de 5 x 9 pulgadas, engrasados perfectamente. Dejamos que la masa vuelva a levantarse, y la introducimos en el horno, a 200º C (400º F); después de 15 minutos bajamos la temperatura a 175º C (350º F) y esperamos 25 minutos más.

GORDITAS DE MORELIA

12 piezas   25 minutos   Dificultad: media

Ingredientes: 1/2 kg de masa para tortillas • 3 chiles anchos • 100 g de queso añejo • 200 g de frijoles cocidos 2 chorizos • Manteca.

Se desvenan los chiles, se tuestan, se remojan en agua caliente y se mezclan con la masa y la mitad del queso rallado, hasta que la masa quede bien uniforme; se forman unas gorditas como de siete centímetros de diámetro, que se fríen en la manteca bien caliente, procurando que queden bien cocidas; al sacarlas hay que escurrirlas bien. En una cucharada de manteca se fríen los chorizos desmenuzados y sin pellejo; se sacan; en esta misma grasa se fríen los frijoles con media cucharadita de orégano. Se untan las gorditas con una capa de frijoles; encima se les pone queso desmoronado y un poco de chorizo.

PAPAZUL ESTILO YUCATÁN

 24 piezas   60 minutos   Dificultad: alta

Ingredientes: 16 tortillas chicas y delgadas • 6 huevos cocidos • 300 g de jitomate • Semilla de una calabaza grande • 1 rama grande de epazote.

Se elimina la cáscara de la semilla, se lava ligeramente, se pone al sol para que se seque, se tuesta en una sartén con sal y se muele rociándola con el agua tibia, en la que se hirvió el epazote; el aceite que va soltando se separa en una taza. Se desbarata bien la pepita molida con la mano, en un poco de agua de epazote caliente con sal; debe quedar espesa. En esta salsa se van mojando las tortillas; se les pone una tira de huevo cocido; se enrollan y se acomodan en un platón; se cubren con el resto de la pepita y el aceite que soltó; encima se les pone el jitomate asado y molido.

INDIOS VESTIDOS

16 piezas   60 minutos   Dificultad: alta

Ingredientes: 8 tortillas • 115 g de queso fresco • 115 g de manteca • 2 jitomates • 2 cucharadas de harina
2 huevos • 3 chiles anchos • 1 cebolla • 1 diente de ajo • 1/2 litro de caldo • Sal y pimienta.

Se parten las tortillas por la mitad y se doblan, poniéndoles en el centro una rebanada de queso y cerrándolas con un palillo de madera; se pasan por la harina y por los huevos batidos, se fríen en la manteca y luego se ponen en la salsa para que den un hervor. Se sirven muy calientes.

Para elaborar la salsa se fríe con una cucharada de manteca el jitomate asado, molido con la cebolla y el ajo; cuando espese, se agregan los chiles desvenados y remojados y el caldo; se sazona de sal y pimienta y se deja hervir hasta que espese.

PAMBACITOS FRITOS

 16 piezas   60 minutos + 1 día Dificultad: media

Ingredientes: 300 g de harina de granillo • 200 g de harina de trigo • 75 g de manteca • 15 g de levadura leviatán • 1/2 cucharadita de sal • 2 cucharadas de azúcar.

Relleno: 100 g de chile ancho • 300 g de jitomate • 150 g de tomate verde • 250 g de manteca • 100 g de queso añejo • 600 g de papa • 1 cebolla • 1 ramita de cilantro • 2 dientes de ajo • 3 clavos de especia • 4 pimientas gruesas • 4 chorizos • 4 chipotles en vinagre • 2 lechugas • Aceite, vinagre, sal y pimienta.

Se deshace la levadura con ocho cucharadas de agua tibia; se le agrega la harina de trigo necesaria para formar una pasta suave (de los mismos 200 gramos, forma una bola, se le hace un corte en cruz y se coloca cerca del calor hasta que coja su volumen).

Con la harina restante de trigo y la de granillo se hace una fuente; en el centro se deposita la sal, el azúcar y la manteca; se amasa con el agua necesaria para formar una pasta; se le agrega la levadura fermentada y se amasa hasta que no se pegue ni en las manos ni en la mesa; se deja reposar en un lugar a temperatura natural durante 12 horas ó 6 en lugar tibio.

Pasado ese tiempo, se divide en pequeñas porciones; se forman rollitos, se les da la forma de pambazos, colocándolos en latas engrasadas, y se dejan cerca del calor hasta que doble el volumen: se les hace en el centro un corte con un cuchillo fino, se hornean a horno caliente; ya fríos, se parten a la

mitad y se preparan de la manera siguiente: los chiles anchos se desvenan; se remojan y remuelen con los clavos y pimienta; se les agrega 1/8 de litro de agua y se fríe todo con una cucharada de manteca; se deja hervir hasta que espesa un poco; en esta salsa se mojan los pambazos partidos a la mitad y se fríen en manteca. En 75 gramos de manteca se fríen los chorizos, se retiran en esa misma grasa, se fríen las papas cocidas y picadas en cuadritos.

A los pambazos, y fritos con la sal, se les pone una capa de lechuga picada, sazonada con aceite, vinagre, sal y pimienta; otra de papas fritas y pedacitos de chorizo frito, un poco de salsa, queso rallado y tiritas de chipotle; se les pone su tapa y se sirven muy calientes.

Para la salsa: el jitomate se asa, se muele con los tomates verdes cocidos, la cebolla y el ajo y una ramita de cilantro; se fríe con una cucharada de manteca, dejándola en el fuego hasta que espese.

GARNACHAS ESTILO PUEBLA

14 piezas   30 minutos   Dificultad: media

Ingredientes: 1/2 kg de masa para tortillas • 300 g de jitomate • 100 g de queso añejo • 2 aguacates grandes
1 cucharada de cebolla picada • 1 cucharada de cilantro picado • 4 chipotles curados picados
1 cucharada de aceite de oliva • Manteca o aceite para freír.

Se pica finamente el jitomate bien limpio; se mezcla con la cebolla, cilantro, chipotles y aguacates, también picados; se sazona con sal y una cucharada de aceite. A la masa se le añade sal y un poquito de agua. Los sopes se hacen aproximadamente de seis centímetros de diámetro y uno de alto; inmediatamente que salen del comal se pellizcan en derredor, para formar una cazuelita. Ya para servir, se fríen en la manteca; inmediatamente se les pone el guacamole y el queso desmoronado por encima.

FLAUTAS RELLENAS

30 piezas   45 minutos   Dificultad: baja

Ingredientes: 750 g de barbacoa de borrego • 200 g de aceite • 30 tortillas delgadas • 1/2 cebolla de regular tamaño • 1/4 de litro de crema agria • 6 chiles serranos • 2 aguacates medianos • 1 jitomate grande 1 lechuga chica • Unas ramitas de cilantro • Sal al gusto.

Se pica finamente el cilantro, el jitomate, la cebolla y los chiles, agregando después el aguacate pelado y desbaratado con las manos. Se mezcla todo bien, dejando los huesos del aguacate dentro del guacamole, para que no se ponga negro. Se pica la lechuga y se deja reposando·en un poco de agua. Se deshebra la carne y se pone a calentar el aceite en una sartén. Rellenándolos con la barbacoa deshebrada, se preparan los tacos, procurando que queden bien apretados, y se fríen de inmediato hasta que estén bien dorados. Se paran y se dejan escurrir. Para servir se cubren con un poco de crema, guacamole y un puñado de lechuga.

TLACOYOS RELLENOS DE CHICHARRÓN

6 piezas   30 minutos   Dificultad: media

Ingredientes: 500 g de masa • 300 g de chicharrón suave, llamado migaja • 2 chiles verdes serranos
2 ramas de epazote.

Se elabora la masa con sal y se forman tlacoyos, que son unas gorditas de forma ovalada; se rellenan con el chicharrón, muy bien desmoronado, mezclado con el epazote picado y los chiles picados; se forma el tlacoyo y se ponen a cocer en el comal a fuego muy suave. Se sirven muy calientes.

TAMALES DE ELOTE

4 personas   120 minutos   Dificultad: baja

Ingredientes: 8 elotes no muy tiernos • 200 ó 250 g de azúcar • 50 g de pasas sin semilla • 50 g de mantequilla 1/2 cucharadita de sal • 1 cucharadita de royal.

Se desgranan los elotes con el cuchillo y se muelen con un poco de leche; se les mezcla la mantequilla fundida, azúcar, sal, royal, todo ello rápidamente, sin batir; se van haciendo luego los tamales en las mismas hojas de los elotes, poniéndole a cada uno varias pasitas; se cuecen, como todos, al vapor, durante hora y media.

TAMALES (ROJOS Y VERDES)

 12 personas   120 minutos   Dificultad: alta

Ingredientes: 1 kg de harina para tamales • 1/2 kg de manteca de unto • 1 y 1/4 de litro de caldo de puerco
500 g de carne de puerco • 50 g de chile ancho • 25 g de chile pasilla • 1 cucharada de royal • 1 cucharada de sal
1 diente de ajo • 8 cominos.
Chile verde: 300 g de tomate verde • Chiles verdes al gusto • 1 cebolla chica • 1 diente de ajo • 1 ramita de cilantro.

Se bate la manteca con una cuchara de palo, hasta que aquélla esté blanca. Se añade entonces el royal y la sal; luego se agrega el caldo y la harina de modo alternado, y se bate. Se sabe que ya está a punto cuando una bolita de masa flota en una taza de agua.

En hojas para tamal (que previamente se habrán lavado, remojado y escurrido), se va depositando con una cuchara una porción de la masa; en el centro se pone una cucharada de chile y un trozo de carne de puerco; se envuelven y se cuecen al vapor durante dos horas. La mitad se hace de chile rojo y la otra mitad de chile verde.

(Nota: Los tamales no deben cocerse en olla de presión. Un modo práctico de cocerlos es usar un bote de alcohol al que se le haya adaptado una parrilla y una tapadera.)

Chile rojo: Se desvenan los chiles, se tuestan, se remojan en agua caliente y se muelen con el ajo y los cominos; se fríen en una cucharada de manteca y se les incorpora la carne partida en trocitos; se sazonan con sal.

Chile verde: Se hierven los tomates con los chiles verdes; se muelen con ajo, cebolla y cilantro; se fríen en una cucharada de manteca; se les incorpora la carne partida en trocitos; se sazonan con sal.

Si se quieren hacer tamales de dulce, la masa se bate exactamente del mismo modo, pero en lugar de ponerle una cucharada de sal se le pone sólo una cucharadita, y veinte cucharadas de azúcar, al tiempo que se bate un poco. Se les incorporan cuadritos de acitrón y pasas.

TAMALES DE DULCE

 12 piezas 120 minutos Dificultad: media

Ingredientes: 1 kg de harina de maíz para tamales • 450 g de manteca • 150 g de azúcar • 150 g de pasas sin semilla • 1 cucharada de royal • 1 lata de leche condensada Nestlé • 1/2 taza de agua de anís hervida 1/2 taza de leche • 3 manojos de hojas para tamales.

Se hierve media cucharadita de anís en media taza de agua; se cuela y se mezcla con la harina, el royal, media cucharadita de sal, el azúcar y la leche, hasta formar una masita. Se bate la manteca hasta que quede blanca y esponjosa; entonces, se le añade la masita, la leche condensada y, si es necesario, otro poquito de leche; se bate hasta que una bolita de masa flote en una taza de agua. Porciones de esta masa se envuelven en las hojas, que se habrán remojado y escurrido; se agrega a cada tamal varias pasitas y se ponen a cocer al vapor, como todos los tamales, aproximadamente durante una hora, hasta que se desprendan de la hoja.

TAMALES DE VIGILIA EN TIMBAL

12 piezas   120 minutos   Dificultad: media

*Ingredientes: 250 g de manteca de unto • 100 g de harina de arroz • 2 y 1/2 tazas de leche hervida
1 kg de masa • 1 cucharada de royal • 1 cucharada de sal.
Relleno: 600 g de jitomate • 1/4 de litro de crema de leche • 25 g de queso añejo • 6 chiles poblanos
2 cucharadas de cebolla picada • 1 queso fresco.*

Se bate la manteca hasta que esponje, se le agrega la harina de arroz cernida con el royal y la sal, alternando con la masa, que se habrá desbaratado con un poco de leche tibia. Se añade la leche necesaria hasta obtener la consistencia de masa para tamales; hay que batir con fuerza. (Para saber si la masa está a punto, se coloca una bolita de masa en una taza con agua: la bolita debe flotar.) Se vacía en una flanera bien engrasada. Se pone una capa de masa, una de relleno y tiras de queso, otra de masa, una segunda de relleno y tiras de queso, y así

hasta terminar; la última será de masa.

Se tapa bien la flanera y se cuece en la olla de presión sobre la parrillita con dos tazas de agua durante media hora. También se puede poner en el horno a l80 °C (375 °F), o en baño María por espacio de hora y media a dos horas.

Relleno: Se tuestan los chiles, se pelan y se desvenan; se cortan luego en rajas y se fríen junto con la cebolla hasta que acitrone; se le agrega el jitomate y se deja sazonar. En el momento de retirar de la lumbre, se le añade la crema y el queso añejo.

TAMALES DE MUERTO

 12 piezas   120 minutos   Dificultad: alta

Ingredientes: 1 kg. de maíz negro • 206 g de cal viva • 400 g de manteca • 250 g de queso añejo • 150 g de chile ancho
1 cucharada de royal • 1 cebolla regular • 1 diente de ajo • 2 ó 3 manojos de hojas para tamal.

Se lava el maíz, se le agrega la cal (que se habrá apagado en 1/4 de litro de agua), se le añaden dos litros de agua, se pone a fuego manso y se mueve de cuando en cuando con una cuchara de palo. Cuando ya se le puede quitar el pellejo se aparta del fuego, se restriega muy bien, se lava y se muele. Se bate la manteca hasta que esponje, se le agrega la masa (que se habrá desbaratado con un poco de leche tibia o caldo de carne y el royal); se bate hasta que la masa tenga consistencia que pueda extenderse sobre una servilleta húmeda; se le pone una capa de relleno; se enrolla, procurando que quede lo más apretada

posible; se cortan rebanadas como de dos centímetros de grueso, que se envuelven en las hojas remojadas y escurridas, y se doblan como todos los tamales.

Luego se ponen a cocer al vapor durante una hora, hasta que se desprendan de la hoja.

Relleno: Los chiles se tuestan, se desvenan, se ponen a remojar en agua caliente, se muelen y se fríen en dos cucharadas de manteca (que se habrán apartado de los 400 gramos); cuando se han frito muy bien se les incorpora el queso bien desmoronado y se apartan del fuego.
(Nota: Si no se dispone de maíz negro, se puede suplir con masa para tortillas.)

TAMALES DE ALMENDRA

6 personas · 60 minutos · Dificultad: media

Ingredientes: 16 tortillas chicas y delgadas • 100 g de manteca • 50 g de chile ancho • 2 chiles pasilla • 1 cucharada de ajonjolí tostado 1/2 tortilla frita • 1/4 de bolillo de pan frito • 1 diente de ajo • 1 cebolla chica • 1 clavo • 4 pimientas delgadas • 1 rajita de canela 12 semillas de cilantro • 1/8 de cucharadita de anís • 75 g de queso añejo • 2 huevos • 20 g de mantequilla para el molde. Relleno: 200 g de pulpa de puerco • 150 g de jitomate • 1 cebolla chica • 1 diente de ajo • 1 clavo • 3 pimientas delgadas • 1 rajita de canela • 1 hoja de laurel • 1 cucharada de vinagre • 10 almendras • 25 g de pasitas.

Ya tostado, el ajonjolí se muele con todas las especias y los chiles desvenados, tostados y remojados; se fríe en 50 gramos de manteca; se le agrega 1/8 de litro de caldo del puerco; se sazona con sal y una cucharada de azúcar; se deja en el fuego hasta que quede regularmente espeso. En un molde de loza refractaria engrasado con mantequilla y empanizado, se va poniendo una capa de tortillas fritas y mojadas en la salsa de chile, otra de relleno, otra de huevo batido como para torta, encima el queso añejo o desmoronado, y así hasta terminar; la última capa debe ser de tortillas con huevo. Se cuece en horno caliente a 400º F durante quince minutos.

Relleno: Se da un hervor al jitomate y se muele con las especias, ajo y cebolla. En dos cucharadas de manteca se fríe, se deja consumir y se le agrega media taza de caldo del puerco, la carne deshebrada, las pasas y almendras picadas, el vinagre, la hoja de laurel; se sazona con sal y una cucharadita de azúcar; se deja secar.

TAMALES EN CAZUELA

8 piezas   120 minutos   Dificultad: media

Ingredientes: 1/2 kg de harina de maíz para tamales • 1/4 kg de manteca de unto • 1 cucharadita de royal
1 y 1/4 tazas de caldo de puerco • 300 g de pulpa de puerco • 400 g de jitomate • 30 g de almendras
25 g de pasas • 1 diente de ajo • 1 cebolla chica • 12 aceitunas • Chile cascabel, al gusto.

Se prepara la masa como la de los tamales. En una cazuela engrasada se pone la mitad de la masa y el relleno; se cubre con el resto de la masa y se cuece en horno al baño María con la cazuela tapada hora y media o dos horas.
Se puede cocer en la olla exprés, poniéndolo en un molde engrasado, bien tapado sobre la parrilla, con un poco de agua. Tarda media hora.

Relleno: Se cuecen los jitomates con los chiles cascabeles, ajo y cebolla. En tres cucharadas de manteca, que se toman del cuarto de kilo, se fríe el jitomate molido, se agrega la carne deshebrada, las aceitunas, pasas y almendras picadas, se añade un poco de caldo, se deja hervir hasta que espese y se sazona.

HUEVOS CON CAMARONES

 4 personas   15 minutos   Dificultad: baja

Ingredientes: 4 huevos • 8 camarones • Salsa mayonesa.

Se cuecen los huevos, se les quita la cáscara y se parten por la mitad a lo largo, vaciándoles la yema, que se pica finamente y a la que se pone un poco de sal y de salsa mayonesa, mezclándolo bien todo con el tenedor. Se vuelven a llenar las claras y encima de cada una se coloca un camarón. Se cubre con un poco más de salsa mayonesa y se pone en la heladera una o dos horas.

HUEVOS RANCHEROS

4 personas   10 minutos   Dificultad: baja

*Ingredientes: 8 huevos • 100 g de jitomate • 8 tortillas delgadas • 2 chiles poblanos
1 cebolla chica • 1 ramita de cilantro • 8 rebanadas de queso fresco
125 g de manteca (o aceite).*

Preparamos en primer lugar la salsa, de la siguiente manera: asamos el jitomate y lo molemos con la cebolla, el cilantro y un chilito verde; luego lo freímos en una cucharada de manteca. Seguidamente, freímos las tortillas en la manteca y las colocamos en un platón bien extendidas. Sobre cada una de ellas pondremos un huevo estrellado; finalmente, bañaremos el conjunto con la salsa ya elaborada y adornaremos con una rebanada de queso y unas rajitas de chile poblano.

SALSA: Freímos el jitomate, asado y molido antes con la cebolla, el cilantro y un chilito verde asado.

Se fríen luego las tortillas en la manteca y las colocamos bien extendidas en un platón.

Se estrellan los huevos y se ponen uno sobre cada tortilla, abriéndolas.

Se bañan con la salsa y se adornan con queso y chile.

TORTILLA DE CHÍCHAROS

4 personas **25 minutos** **Dificultad: media**

Ingredientes: 300 g de chícharos • 4 huevos • Sal • Aceite
1 cebolla pequeña • Manteca.

Se hierven los chícharos con sal y la cebolla partida a trozos. Cuando estén tiernos, se cuelan, y cuando estén bien secos se pasan por la sartén, en manteca. Se baten los huevos y se hace la tortilla, que se sirve muy caliente.

Cocemos primeramente los chícharos junto con la cebolla y la sal.

Dejaremos luego que las arvejas escurran bien y queden prácticamente secas.

A continuación, freímos las arvejas en una sartén, con manteca.

Finalmente, batimos los huevos y hacemos, incorporando las arvejas, la tortilla.

75

HUEVOS «BERTINI»

👥 4 personas   🕐 20 minutos   👨‍🍳 Dificultad: media

Ingredientes: 4 huevos • 6 ó 7 champiñones • 4 rebanadas de pan • Harina • Manteca • Sal Pimienta • Ajo • Perejil.

Se limpian los champiñones, se lavan y se trozan, y se fríen en una cacerolita con aceite, un poco de ajo y perejil. Se preparan cuatro rebanadas de pan y los champiñones se reparten entre ellas. Luego, con el aceite en que se han freído, un poquito de harina y unas gotas de agua, se hace una salsa a la que se dan unos hervores y se incorpora también repartida entre los panes, sobre los champiñones.

Se ponen los panes en una fuente que vaya al horno, untada en el fondo de manteca, y se casca un huevo sobre cada una de ellas, de manera que descanse sobre y en medio de un lecho de champiñones. Se introduce la fuente en el horno y se cocinan los huevos, espolvoreándose al salir del horno con un poco de sal y pimienta.

REVUELTO DE BACALAO

4 personas   15 minutos   Dificultad: baja

Ingredientes: 100 g de bacalao en remojo • 4 huevos • Aceite Sal • Pimienta molida • chiles serranos

Se remoja el bacalao la víspera y, cuando va a prepararse, se deshilacha bien, escurriéndolo y apretándolo con las manos.

Se fríe levemente en aceite caliente, en la sartén. Se baten los huevos y se hace el revuelto, sazonándolo con sal, pimienta y chile serrano picadito

HUEVOS AL MINUTO CON RAJAS

 6 personas 10 minutos Dificultad: baja

Ingredientes: 6 huevos • 1/8 de litro de crema de leche • 1/8 de litro de leche • 3 chiles poblanos 30 g de mantequilla • 50 g de queso añejo.

En una cucharada de mantequilla se acitrona la cebolla, se agregan los chiles poblanos asados, sin pellejo, y en rajas partidas a la mitad y por lo largo (para que no queden muy grandes) se dejan freír; se agrega la leche para que dé un hervor; se sazona con sal y pimienta; se añade la crema y la mitad del queso rallado. Se llenan los moldecitos y se pone el resto del queso rallado por encima.

HUEVOS CON CHILES ANCHOS

4 personas   10 minutos   Dificultad: media

Ingredientes: 400 g de jitomate • 1/2 pieza de queso fresco • 6 huevos grandes • 3 cucharadas de crema de leche
2 chiles anchos • 2 cucharadas de manteca • 1 cebolla rebanada chica.

Los chiles se desvenan y se parten en tiritas como de un centímetro de ancho. En la manteca se acitrona la cebolla y se le añaden las rajitas de chile, el jitomate asado, molido y colado, que se deja consumir a la mitad. Entonces se añaden dos tazas de agua y se sazona con sal y pimienta; cuando comienza a hervir, se van poniendo los huevos, con mucho cuidado para que no se rompa la yema, y se dejan hervir unos tres minutos para que la yema quede tierna. Se les pone el queso en rebanadas y la crema.

HUEVOS A LA MEXICANA

6 personas   15 minutos   Dificultad: baja

Ingredientes: 6 huevos frescos • 4 chiles poblanos • 400 g de jitomate • 30 g de mantequilla • 100 g de queso fresco • 1 cucharada de cebolla picada • 1/8 de litro de crema de leche.

En un platón de loza refractaria, engrasado con mantequilla, se pone un poco de la salsa; se acomodan los huevos cocidos, partidos por la mitad y a lo largo; encima se pone el resto de la salsa, la crema y el queso en rebanadas; se mete unos minutos al horno caliente.

Salsa: En una cucharada de manteca o mantequilla se acitrona la cebolla, se agregan las rajas de chile poblano y se dejan freír un poco; se añade el jitomate asado y molido, y se deja freír.

HUEVOS EN RABO DE MESTIZA

6 personas   15 minutos   Dificultad: baja

Ingredientes: 6 huevos frescos • 300 g de jitomate • 1 cebolla chica • 3 chiles poblanos • 1/8 de litro de crema de leche • 1/2 panela de queso fresco • 2 cucharadas de manteca (o aceite).

Se acitrona en la manteca la cebolla rebanada, y se agregan las rajas de chile poblano tostadas y sin pellejo; se dejan freír un poco; se añade el jitomate asado y molido y se deja consumir a la mitad; se añade medio litro de agua; se sazona.

Cuando suelta el hervor, se ponen los huevos uno a uno (con cuidado, para no romper la yema); se dejan hervir unos minutos hasta que cuaje la clara y la yema quede tierna; se les pone el queso en rebanaditas y, ya en el platón, la crema por encima.

OTROS HUEVOS RANCHEROS

6 personas — 10 minutos — Dificultad: baja

Ingredientes: 6 huevos • 6 tortillas delgadas • 250 g de tomates verdes • 3 chiles verdes serranos 3 g de cilantro • 1 cebolla chica • 1 diente de ajo • 6 rebanadas de queso fresco • 1/8 de litro de crema de leche • 125 g de manteca (o aceite).

Se preparan de la misma manera que en la receta anterior; lo único que cambia es la salsa. Encima se pone la crema y una rebanada de queso. **Salsa:** Se mondan los tomates, se lavan, se ponen a cocer en agua con los chilitos verdes, hasta que den un hervor y se sientan suaves; entonces se muelen con el ajo, la cebolla, los chilitos verdes y el cilantro. Se fríe todo en dos cucharadas de manteca bien caliente hasta que se consuma la mitad. Los huevos se bañan con la salsa muy caliente.

HUEVITOS EN FALTRIQUERA

 8 personas   90 minutos   Dificultad: alta

Ingredientes: 500 g de azúcar • 10 yemas de huevo • 1 taza de agua • Canela en polvo, la suficiente.

Se pone al fuego el agua y cuando esté caliente se deposita el azúcar para hacer un almíbar bastante espeso; una vez a punto, se deja enfriar. Se baten entonces las yemas a punto de listón y se va agregando poco a poco el almíbar, sin dejar de batir. Cuando esté bien ligado, se pone todo a fuego lento, moviendo la mezcla hasta que se desprenda con facilidad del fondo del recipiente. Se quita del fuego y, con la mano mojada en agua fría, para que no se pegue, se forman bolitas que se revuelcan en polvo de canela y se envuelven en papel de China, como los morenos de nuez.

HUEVOS REVUELTOS A LA MEXICANA

 4 personas 15 minutos Dificultad: baja

Ingredientes: 5 huevos frescos • 2 jitomates pelados y finamente picados • 1 cucharadita de cebolla finamente picada • 1 chile verde finamente picado • 1 ramita de cilantro finamente picado • Aceite de oliva, el necesario para freír • Sal y pimienta la necesaria.

Se parten los huevos en una fuente revuelven con el resto de los ingredientes y se sazonan con la sal y la pimienta. Si se desea, se le pueden quitar las semillas al jitomate. Todo bien revuelto, se fríe en el aceite caliente a fuego muy suave, y se va enrollando con una espátula, para que quede en forma de tortilla, que deberá quedar bastante tierna.

HUEVOS EN SALSA VERDE

4 personas   10 minutos   Dificultad: baja

Ingredientes: 4 huevos • 4 tortillas • 4 cucharas de manteca • 2 chiles serranos • 1/2 kg de tomatillos verdes 1 cebolla • 1 diente de ajo • Manteca • Cilantro • Sal y pimienta.

Las tortillas se fríen; calientes, se acomodan en un platón extendido; a cada una se le coloca un huevo estrellado al que se le ha escurrido bien la grasa; se bañan con la salsa bien caliente, se espolvorean con el queso y se sirven inmediatamente.

Salsa: Los chiles se tuestan uniforme y ligeramente; se envuelven en plástico, se les quita el pellejo y las semillas; se muelen en la licuadora, junto con la crema y un poco de leche (únicamente la necesaria para poder molerlos), y se fríen en la mantequilla.

TORTILLA DE MACARRONES

4 personas   **30 minutos**   **Dificultad: baja**

Ingredientes: 4 huevos • 4 cucharadas soperas de macarrones hervidos • 50 g de queso rallado.

Se baten mucho rato los huevos, se les agrega el queso rallado y a continuación los macarrones, cortados a trozos muy pequeños, naturalmente hervidos previamente en agua salada.

Se mezcla bien todo junto y se hace la tortilla en aceite muy caliente, dorándola por los lados. Se sirve con una ensalada.

TORTILLAS RELLENAS

4 personas   20 minutos   Dificultad: media

Ingredientes: 4 huevos • 2 papas medianas • 6 almendras • Salsa de jitomate • Aceite • Sal • Leche.

Se machacan en el molcajete las almendras y se les agrega sal. Por otra parte, se cuecen las papas y se pasan por el colador. Se hierve un huevo hasta endurecerlo, se le quita la cáscara y se corta en pedacitos. Se mezclan las almendras, las papas y el huevo, se agregan unas gotas de leche y la sal suficiente. Se baten un rato los tres huevos restantes y, a cucharadas, se van poniendo en una sartén que contenga aceite hirviendo. Se forman pequeñas tortillas y en el centro de cada una, antes de enrollarla, se pone parte de la masa preparada.

Hechas todas las tortillas, se ponen en una fuente y se cubren con salsa de jitomate.

HUEVOS EN CAMISA

 4 personas   🕐 10 minutos   Dificultad: baja

Ingredientes: 4 huevos • Perejil • Sal.

Se unta una cazuela grande con manteca o aceite y se colocan en el fondo, separadas unas de otras, las yemas de los huevos, batiéndose las claras a punto de nieve, aparte. Con estas claras se cubren las yemas, se espolvorea en conjunto con sal y perejil finamente picado y se introduce en el horno, dejándolo allí cinco minutos.

En primer lugar, untamos bien una fuentecita con manteca y aceite.

Seguidamente, batimos las claras hasta el punto de nieve.

En el fondo de la fuente depositamos las yemas de los cuatro huevos, separadas.

Cubrimos las yemas con las claras y espolvoreamos con sal y perejil picado. Cocemos en horno durante cinco minutos.

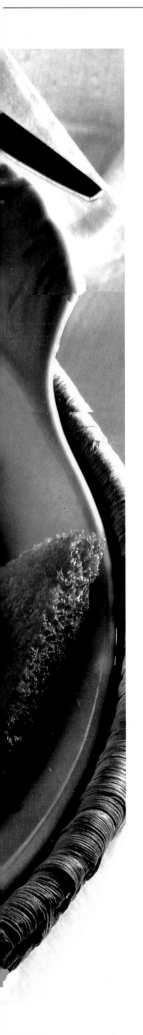

HUEVOS EN CAZUELA

 4 personas   10 minutos   Dificultad: baja

Ingredientes: 4 huevos • 150 g de jamón • Salsa roja • Sal.

Se cascan los huevos en unas cazuelitas blancas de porcelana (o de aluminio), untadas de manteca o aceite en el fondo.
Se cubren entonces con el jamón bien picado y se añaden unas cucharadas de salsa de roja espesa, con su sal correspondiente. Se ponen en el horno hasta que cuaje el huevo. Se sirven calientes, en las mismas cazuelitas.

REVUELTO DE HUEVOS CON JITOMATE

4 personas   10 minutos   Dificultad: baja

Ingredientes: 6 huevos • 2 jitomates grandes • Aceite • Sal.

Se pelan y cortan a trozos los jitomates, quitándoles las semillas. Se sofríen en aceite y cuando estén bien cocidos se agregan los huevos bien batidos y sazonados de sal.

Se revuelve rápidamente y se aparta del fuego en cuanto empieza a cuajar, ya que, apartado, sigue haciéndose un poco más con el calor que conserva. Puede hacerse el revuelto en la sartén y volcarlo en una fuente o, mejor aún, prepararse en una cazuela de barro o de porcelana, sirviéndose asimismo a la mesa.

HUEVOS AL HORNO CON JITOMATE

4 personas   **10 minutos**   **Dificultad: baja**

Ingredientes: 4 huevos • Una buena salsa de jitomate condimentada y abundante.

Se prepara una salsa de jitomate bien condimentada, hecha con laurel y ajos, que se retiran antes de pasarla por el colador para que quede bien fina. Esta salsa se pone en el fondo de una fuente que vaya al horno y encima se cascan los huevos, separados, sazonándolos de sal y pimienta. Se cuece unos momentos en el horno regular hasta que las claras estén cuajadas.

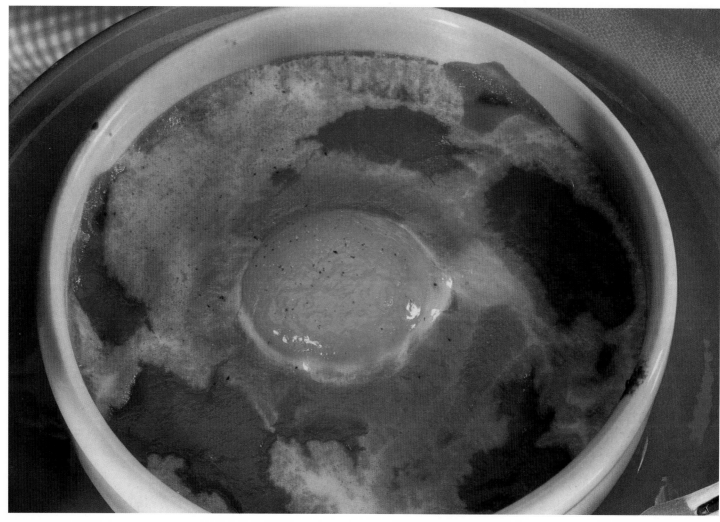

SALSA COSTEÑA

🕐 30 minutos   👨‍🍳 Dificultad: baja

Ingredientes: 6 chiles costeños • 250 g de tomates verdes, sin la piel • 1 diente de ajo • 125 g de cebolla 15 g de cilantro • 1/2 cucharada de sal.

Tostamos los chiles en una sartén, teniendo cuidado de que no se quemen, y los retiramos una vez dorados. En una cazuela cocemos los tomates verdes con sal, dejándolos hervir durante cinco minutos, y escurrimos después.

Se pasan por la batidora sin colar los chiles, los tomates y el ajo. Finalmente, se coloca en una fuente, añadiendo entonces la cebolla, el cilantro y la sal. Removemos y rectificamos de sal.

SALSA BORRACHA

🕐 30 minutos   👤 Dificultad: baja

Ingredientes: 200 g de chile pasilla • 2 cebollas • 2 dientes de ajo • 6 chiles verdes en vinagre 1/2 litro de pulque • 100 g de queso añejo.

Se tuestan los chiles, se desvenan, se remojan durante media hora y se muelen con el ajo. Se les agrega el aceite y el pulque necesario para que quede espeso; se sazona con sal.

Para servir, se le agregan los chiles en vinagre, la cebolla finamente picada y el queso rallado.
(Nota: Esta salsa no sirve después de pasadas algunas horas, porque fermenta con rapidez.)

SALSA DE CACAHUATE

45 minutos   Dificultad: media

Ingredientes: 5 chiles anchos • 3 chiles pasillas • 3 chiles costeños • 2 tazas de agua caliente (500 ml)
1 y 1/2 tazas de cacahuates no salados sin piel • 4 dientes de ajo • 1/4 de cebolla • 1 cucharada de aceite
1 cucharada de sal • 1/2 taza de caldo de pollo.

Se asan los chiles en una sartén, quitando las semillas y membranas, y se remojan en agua caliente durante veinte minutos. Se pasan en una batidora con el agua, añadiendo los cacahuates, el ajo y la cebolla hasta conseguir un puré.

Se calienta el aceite incorporando cebolla y salteándola. Se agrega el puré a la sartén y se fríe durante 5 minutos. Se añade la sal y se remueve durante 10 minutos más. Si la salsa resulta demasiado espesa, se añade caldo para aclararla.

SALSA DE TOMATE

🕐 30 minutos   👨‍🍳 Dificultad: baja

Ingredientes: 20 tomates verdes • 3 chiles verdes cuaresmeños • 2 dientes de ajo • 1 cebolla chica 1 manojo de cilantro.

En un poco de agua se ponen a cocer los chiles y los tomates, cuidando de que no hiervan demasiado.

Se pelan y se muelen con la cebolla, ajo y sal. Encima se esparce el cilantro finamente picado.

SALSA ENDIABLADA

🕐 30 minutos   👨‍🍳 Dificultad: baja

*Ingredientes: 20 chiles pasillas • 1 cebolla grande • 2 cabezas de ajo • 2 tazas de vinagre de sidra
3 clavos de especia enteros • 1 cucharada de mejorana, orégano y una hoja de laurel • 1 taza de aceite de oliva
Pimienta negra • Sal.*

Se asan los chiles en una sartén con la cebolla y el ajo. En una cazuela se depositan el vinagre y las especias, dejando cocer durante veinte minutos. En una batidora se introduce esta mezcla hasta que esté bien batida; se cuela, incorporando el aceite, y se vuelve a batir. Sazonamos con sal. Se puede reservar en tarros cerrados: tendrá mejor sabor transcurrido el tiempo.

SALSA DE MOLCAJETE

🕐 15 minutos   👨‍🍳 Dificultad: baja

Ingredientes: 5 chiles serranos • 2 jitomates maduros • 1 diente de ajo • 1 cucharada de sal.

En una sartén se asan los chiles y los jitomates hasta que estén blandos, retirando la piel de los jitomates. En un molcajete, se machacan los chiles y ajo, después se añaden los jitomates. Se añade sal.

SALSA MEXICANA

🕐 20 minutos   👨‍🍳 Dificultad: baja

*Ingredientes: 300 g de jitomate • 1 cucharada de cebolla picada • 1 cucharada de cilantro picado
2 ó 3 chiles serranos picados • 2 aguacates (opcional) • Sal y limón.*

Se limpian bien los jitomates, se pican finamente, se mezclan con el cilantro, la cebolla y los chilitos (todos finamente picados); se sazona con sal y, si se desea, se le mezclan dos aguacates también picados.

SALSA DE TOMATE VERDE CON AGUACATE

 30 minutos   Dificultad: media

Ingredientes: 5 chiles serranos • 300 g de tomates verdes sin piel • 1 diente de ajo • 1 cucharada de vinagre de los chiles • 1 chile serrano adobado sin simiente • 1 cucharada de sal • Cilantro cortado • 1 aguacate, pelado y deshuesado, cortado en cuadrados • 1 cebolla mediana picada.

En una cazuela grande, con agua hirviendo, introducimos los chiles y dejamos cocer durante cinco minutos, añadiendo los tomates verdes. Después de tres minutos sacamos y escurrimos.

Pasamos esta mezcla a una batidora, añadiendo el ajo, el vinagre y los chiles. Sazonamos con sal y el cilantro, y volvemos a batir. En un bol, se mezcla el puré con el aguacate y la cebolla.

SALSA DE JITOMATE CON CHILE CASCABEL

 30 minutos   Dificultad: baja

Ingredientes: 300 g de jitomate • 2 ó 3 chiles cascabel • 1 cucharada de cebolla picada • 1 diente de ajo.

Damos un hervor a los jitomates junto con los chiles; eliminamos luego el pellejo, los molemos con el diente de ajo y finalmente sazonamos, añadiendo a la vez la cebolla picada.

MICHICHITEXTLI

30 minutos

Dificultad: baja

Ingredientes: 100 g de camarón seco y molido • 50 g de ajonjolí • 1/2 cebolla chica • 2 chiles mulatos
2 chiles anchos • 2 chipotles adobados • Acuyo (hoja santa) al gusto • Aceite o manteca, la necesaria
Sal al gusto.

Se trata de una salsa oaxaqueña, muy típica del istmo, que acompaña admirablemente a toda clase de carnes, pero de manera muy grata al conejo o el armadillo.

Se tuestan los chiles mulato y ancho, y se muelen enteros y con semillas. Se dora el ajonjolí y se muele también. Se fríe el polvo del camarón junto con los chipotles ya martajados y la cebolla picada.
Se añaden los demás ingredientes y se refríe todo, sazonando con sal y acuyo. Se agrega un poco de agua tibia para evitar que espese demasiado y se deja que dé un hervor.

CHIMOLE

90 minutos   Dificultad: alta

Ingredientes: 100 g de manteca • 5 chiles anchos • 2 tortillas • 6 pimientas • 2 dientes de ajo • 3 hojas de epazote • 3 jitomates • 1/2 cucharada de achiote • Sal al gusto.

Se quitan las semillas a los chiles, se tuestan y luego se hierven. Se ponen a dorar las tortillas, pero cuidando que no se quemen.

Una vez cocidos los chiles, se retiran del recipiente y se agrega agua fría hasta alcanzar un litro aproximadamente. En esa agua se disuelve la pasta que resulta al moler juntos el ajo, la pimienta, el achiote, el chile y las tortillas doradas.

Se calienta la manteca y en ella se fríen los jitomates pelados y picados, junto con las hojas de epazote. Cuando esto esté bien frío, se le añaden los ingredientes anteriores, dejándolos hervir durante unos quince minutos.

Esta salsa está indicada para especies marinas.

SALSA MAYONESA

🕐 10 minutos   👨‍🍳 Dificultad: baja

Ingredientes: 1 huevo muy fresco • Aceite • Vinagre • Sal.

Se casca el huevo y se separa la yema de la clara, poniendo la primera en un plato sopero. Se espolvorea con sal, y con el tenedor se va removiendo la yema sin cesar, añadiéndole aceite, gota a gota, hasta que espese y ponga brillante y lisa la salsa. Se agrega una buena cantidad de aceite, siempre poco a poco y removiendo, pues cuanto más se pone, más salsa se obtiene. A medio hacer, se le añade vinagre (unas gotas tan sólo), con lo cual mejora de sabor.

Hay quien gusta de ponerle un poco de ajo picado y también, una vez hecha la salsa, puede agregársele un picado de perejil que le da buen sabor y un bonito aspecto. Si la salsa se corta (se conoce en seguida, pues no espesa), se «salva» echándole unas gotas de agua hirviendo y dándole unas vueltas muy rápidas con el tenedor.

SALSA ALI-OLI

15 minutos   Dificultad: media

Ingredientes: 6 dientes de ajo • 1/4 l de aceite • Sal.

Se machacan en el mortero unos dientes de ajo junto con sal, y cuando estén bien deshechos, se les agrega poco a poco aceite, como para mayonesa, removiendo siempre del mismo lado y sin cesar (puede hacerse en procesadora).
Puede añadírsele a voluntad una yema de huevo.

SALSA BECHAMEL

🕐 20 minutos   👨‍🍳 Dificultad: media

Ingredientes: 1/2 l de leche • 1 cucharada de harina • Manteca • Sal • Nuez moscada rallada.

Se trabaja la manteca con la harina en el fondo de una cacerolita de aluminio, y cuando estén bien unidas ambas cosas, se deshacen con parte de la leche, que se va poniendo poco a poco, para evitar la formación de grumos.

Se acaba de agregar el resto de leche y se pone al fuego, sin dejar de remover constantemente con la cuchara de madera. Cuando hierve, se deja que lo haga un minuto o dos, se añade sal y nuez moscada rallada y se aparta, empleándose en el acto para lo que sea.

Si se le añade una yema o dos de huevo, se mejora mucho, pero no es obligatorio.

SALSA «REAL»

🕐 30 minutos   👨‍🍳 Dificultad: baja

Para acompañar aves, carnes y pescados blancos.
Ingredientes: 1/4 l de caldo • 20 g de manteca • 1 cucharadita de harina • Jugo de limón.

Se hierve un ratito en una cacerola una cantidad de caldo, que se deja reducir bastante (a la mitad, más o menos).

A continuación, y sin dejar de hervir el caldo, se añade un buen trozo de manteca fresca y un poquito de harina, disuelta en agua. Se remueve bien, se deja hervir un ratito más y se aparta la salsa, agregándole en el último momento unas cuantas gotas de jugo de limón.

SALSA DE JITOMATES CON AJO Y PEREJIL

🕐 10 minutos   👨‍🍳 Dificultad: baja

Ingredientes: 1/2 kg de jitomates maduros • 2 dientes de ajo • 1 manojo de perejil • 4 cucharadas de aceite
1 cucharada de vinagre • Sal.

Se pelan unos cuantos jitomates bien maduros. Por otra parte, se pican finamente unos dientes de ajo y bastante perejil, y se agregan en el jitomate, con un poco de vinagre.

Cuando todo junto haya cocido un poco más, se pasa la salsa por el colador.

SALSA FÁCIL

🕐 20 minutos   👨‍🍳 Dificultad: baja

Ingredientes: 2 poros • 1 taza de caldo • 4 cucharadas de aceite • 2 cucharadas de vinagre • 1 cucharada de alcaparras y pepinillos • Sal y pimienta.

Se toman dos poros, que se lavan bien, se cortan en trocitos y se rehogan con aceite. Se les agrega vinagre. Se deja que el vinagre vaya consumiéndose, a fuego lento, y cuando casi no quede, se agrega a la salsa una taza de agua tibia o de caldo, sal y pimienta molida. (Si se agrega caldo, cuidado con la sal.) La salsa cocerá todavía diez minutos más. Luego se pasa por el colador y se emplea añadiéndole, al servirla, unas alcaparras y unas rodajas de pepinillos en vinagre.

GUACAMOLE MIXTECO

🕐 20 minutos   👨‍🍳 Dificultad: baja

Ingredientes: 2 aguacates grandes • 2 jitomates • 1 cebolla • 4 chiles verdes serranos • 3 ramas de cilantro.

Se deshuesan los aguacates, se saca la pulpa y se deshace con una espátula de madera. Se asa el jitomate y se muele en el cajete junto con los chiles, la cebolla y los ajos. Se sazona con el aceite, sal y pimienta, y se le esparce el cilantro finamente picado. Se vacía en una fuente y se dejan los huesos para evitar que se ponga negro.

SALSA DE MOSTAZA PARA LA CARNE DE PUERCO

20 minutos   Dificultad: media

Ingredientes: 2 cucharadas de aceite • 1 cucharada de cebolla picada • 1 cucharada de harina • 4 cucharadas de caldo • Vinagre • 1 cucharada de mostaza • Sal y pimienta.

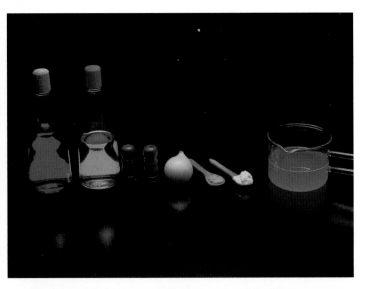

Se pone en una cacerola un poco de aceite y se dora una cucharada de cebolla bien picada. Cuando este en su punto la cebolla, se agrega una cucharada de harina, se remueve y se mezcla en unas cuantas cucharadas de caldo o agua. Se pone sal y pimienta molida y se hierve un ratito la salsa, añadiéndole finalmente un chorrito de vinagre y una cucharadita de mostaza.

SALSA VINAGRETA

🕐 10 minutos   👨‍🍳 Dificultad: baja

Ingredientes: 6 cucharadas de aceite • 2 cucharadas de vinagre • 1 cebolla mediana • 1 cucharada de alcaparras y pepinillos • 3 ramas de perejil • 1 huevo duro • Sal y pimienta molida.

Se pican juntos una cebolla mediana, unos cuantos pepinillos, unas alcaparras, un trocito de apio y unas ramitas de perejil. Una vez finamente picado, se añade a esto, en una salsera, un huevo duro bien aplastado previamente con el tenedor, y se sazona con sal, pimienta blanca molida, vinagre y aceite fino.

SALSA BECHAMEL CON CEBOLLA

🕐 20 minutos   👨‍🍳 Dificultad: media

Ingredientes: 3 cebollas • 1/2 l de bechamel.

Las cebollas se hierven en agua salada hasta que se ablanden. Se cuelan, se exprimen con la mano y se pican finamente.

Aparte se prepara una salsa bechamel, a la que se añade el picado. Tres cebollas medianas bastan para una bechamel hecha con medio litro de leche.

SALSA BECHAMEL VERDE

🕐 30 minutos 👨‍🍳 Dificultad: baja

Ingredientes: 1 ramo de perejil • 1/2 litro de bechamel • Jugo de limón.

Se muele una cantidad de perejil en el mortero hasta que forme una pasta jugosa. Se agrega esta pasta a una salsa bechamel normal, y en el momento de servirla se le agrega jugo de limón. Es muy agradable con pescados.

SALSA ESPAÑOLA

🕐 20 minutos   👨‍🍳 Dificultad: media

Ingredientes: 2 huesos de ternera • 2 huesos de jamón • 4 cucharadas de aceite • 1 cebolla • Perejil Laurel y tomillo.

Esta salsa es esencialmente para servirla con carnes asadas, pollos y caza. En agua salada se cuecen un par de huesos de ternera y otro par de huesos de jamón. Mientras, se rehoga en la sartén un ajo, cebolla y perejil finamente picados, con manteca o aceite, y se añade una hojita de laurel y una ramita de tomillo. Cuando esté bien dorado, se incorpora al caldo de los huesos (que ha de quedar muy reducido) bien colado; se deja que cueza un rato y se sirve echándolo sobre la carne que se llevará a la mesa.

SALSA CON LIMÓN

🕐 20 minutos   👨‍🍳 Dificultad: baja

(Para pollos y aves en general)
Ingredientes: 1/4 l de caldo • 1 cucharada de harina • Jugo de limón • Canela • Pimentón • Sal y pimienta.

Se toma la cantidad de caldo y se espesa con harina disuelta en agua, hirviéndolo un par de minutos.

Inmediatamente se le agrega sal, pimienta molida, pimentón (muy poco de éste), canela y jugo de limón.

SALSA DE ALMENDRAS

15 minutos   Dificultad: baja

Ingredientes: 1 puñado de almendras • 1 diente de ajo • 2 yemas de huevos cocidos • 1 tazón de caldo.

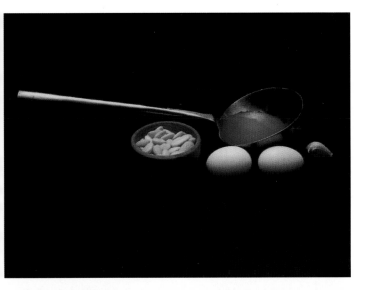

Las almendras se despellejan, remojándolas al efecto en agua caliente, y se pican finamente (basta con un puñado) en el mortero. Cuando ya estén bastante deshechas, se les agrega un diente de ajo y un par de yemas de huevos duros.

Se agrega entonces a la mezcla un tazón de agua o, mejor, de caldo, y se da un hervor.

SALSA TÁRTARA

20 minutos   Dificultad: media

(Es algo fuerte, pero muy sabrosa con pescados hervidos)
Ingredientes: 1 cucharada de mostaza • 1 cucharada de vinagre • 6 cucharadas de aceite • 2 dientes de ajo
Perejil • Sal y pimienta.

En un bol pequeño se ponen: una cucharadita de mostaza, sal, pimienta, una cucharadita de vinagre, dos dientes de ajo picaditos y un poco de perejil picado.

Se va agregando entonces aceite, gota a gota, removiendo siempre del mismo lado como para hacer una mayonesa, hasta que la salsa cuaje y se ponga espesa.

SALSA BECHAMEL CON CHAMPIÑONES Y JITOMATE

25 minutos   Dificultad: media

Ingredientes: 1/2 l de bechamel • 2 cucharadas de aceite • 100 g de champiñones • 2 cucharadas de jitomate concentrado • Sal.

Se prepara una salsa bechamel y se le añade en el último momento un poco de salsa de jitomate (muy espesa y preferentemente hecha con puré de jitomate) y unos cuantos champiñones cortados y salteados en una cacerola, previamente, con aceite y sal. Es una salsa algo elaborada que se sirve con pescados, huevos duros y aves.

SALSA BECHAMEL AL QUESO

🕐 20 minutos   👨‍🍳 Dificultad: baja

Ingredientes: 1/2 l de bechamel • 2 cucharadas de queso rallado.

Se prepara una salsa bechamel y cuando esté hecha se aparta del fuego, agregándole en seguida un par de cucharadas soperas de queso rallado: de Gruyere, de Parma o manchego seco (nunca queso de bola).
Se remueve bien, hasta que el queso se haya incorporado a la salsa.

SALSA DE APIO

🕐 30 minutos   👨‍🍳 Dificultad: baja

Ingredientes: 1 tronco de apio • 30 g de manteca • 1 cucharada de harina • 1 taza de caldo • 1 copa de jerez Pimienta.

Se escoge un tronco de apio bien blanco y jugoso; se lava y corta a trocitos menudos, que se hierven en muy poca agua y casi sin sal, hasta que se ablanden.

Aparte, se mezcla manteca con una cucharada sopera de harina, y poco a poco se añade una taza de caldo del cocido, un poco de sal y pimienta molida, dejando que hierva hasta espesar la mezcla. Se le agrega entonces el apio hervido y colado, y se cuece unos cinco o seis minutos más.

Puede añadirse media copita de jerez seco o unas gotas de coñac, con lo que se la mejorará. Puede consumirse con carne y pescado.

SALSA DE MANTECA

5 minutos　　　Dificultad: baja

Ingredientes: 100 g de manteca • Sal.

En una cacerolita pequeña se derrite un trozo de manteca fresca, sin que llegue a hervir ni a ennegrecerse. Se le añade un poquito de sal y se sirve en una salsera caliente.

SALSA COMPUESTA

10 minutos   Dificultad: baja

Ingredientes: 1 tacita de vinagre • 1 tacita de caldo • 2 tacitas de vino blanco • Jugo de limón • Laurel y tomillo Sal y pimienta.

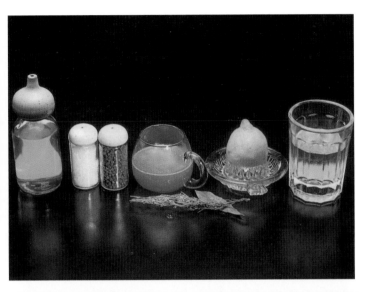

Se mezclan en una cacerola una tacita de vinagre, otra de caldo y otras dos de buen vino blanco. Se da un hervor a la mezcla y se aparta, agregándole sal, laurel, tomillo, pimienta y un poco de jugo de limón.

Cuando esté fría, se cuela muy bien. Se guarda bastante tiempo, lo cual es una ventaja. Es apta para pescados, carnes y fiambres.

Glosario

Aceite: Líquido graso de color verde amarillento, que se obtiene prensando las aceitunas. En alimentación se utilizan sobre todo aceites vegetales (soja, cacahuate, girasol, maíz, oliva, nuez, almendra), aunque también existen aceites animales, como de ballena, bacalao, sobre todo como complementos alimenticios.

Aceituna: Es uno de los frutos más antiguos que se cultivan. No se puede comer directamente del árbol sino que deben someterse a varios procesos. Famosas para las botanas, mas sin embargo se incluyen en numerosos platillos.

Acelga: Planta hortense de la familia de las quenopodiáceas de hojas grandes, anchas, lisas y jugosas, y cuyo pecíolo es grueso y acanalado por el interior. Es comestible. Verdura baja en calorías. Es también diurética, de fácil digestión y rica en vitaminas A, B y C, además de hierro.

Achiote en pasta: El achiote es una semilla de color rojo intenso que se mezcla con varias especias formando una pasta. Se puede usar para condimentar aves, pescados y carne de cerdo. Su origen es del sudeste del país

Acitrón: Biznaga (planta cactácea) confitada.

Acitronar: Freír a punto de transparencia, saltear.

Aderezar: Condimentar los alimentos. También se usa para significar la preparación de un plato con el fin de darle un aspecto elegante antes de presentarlo a la mesa.

Adobar: Macerar la carne con condimentos y chile, para que se ablande o quede aromatizada.

Aflojar: Añadir cierta cantidad de líquido a un alimento para que pierda consistencia.

Aguacate: Fruto del árbol de la familia de las lauráceas, nativo de Mesoamérica, de piel coriácea. Existen muchas variedades de aguacate, desde las muy pequeñas que pueden comerse con piel incluso, a las muy grandes con forma de pera y piel con tonos rojizos.

Aguas frescas: Perfumadas y multicolores, refrescan la garganta y aplacan la sed. Las hay de chía, guanábana, tamarindo, jamaica y cualquier otra fruta, tropical o no.

Aguaucle: Huevecillos de una mosca de los lagos, muy apreciados por los aztecas. Se secan al sol y se comen revueltos con huevos de gallina.

Aguayón: Parte de carne vacuna, maciza, consistente, con poca grasa, recomendable para estofados, pucheros y moles de olla. Sus rebanadas dan buenos bistecs.

Ahogado: En la cocina mexicana se dice de los alimentos bañados en salsa de chile.

Ajenjo: Es una planta que se utiliza para elaborar licor o saborizantes; su sabor es muy parecido al anís.

Ajo: Es un bulbo de origen oriental. Se usa en las cocinas de casi todos los países en salsas, sopas, pescados y mariscos, carnes, vinagretas. Este bulbo es uno de los condimentos más usados en la cocina mexicana. Siempre ha sido muy apreciado, pues además de su aroma se le han atribuido propiedades curativas. Se afirma que el ajo es estimulante, antiséptico, antirreumático y tonicocardíaco; que es bueno contra la tos, el asma, las lombrices y los venenos. Aunque el ajo es muy venerado por los amantes de platillos con carácter, muchas personas se resisten a consumirlo por su olor fuerte y persistente. Es, además, un alimento de difícil digestión.

Ajonjolí: Son pequeñas semillas de color paja, que contienen una gran cantidad de aceite. Se pueden usar molidas junto con otras especias para hacer salsas o moles. Enteras, espolvoreadas sobre ensaladas, como adorno o ingredientes de galletas, dulces, panes y botanas.

Albahaca: Es muy aromática y de sabor fuerte, por lo que se utiliza mucho para condimentar aderezos, pastas, pescados, salsas, y aromatizar vinagre.

Albardar: Envolver carne, aves o caza en una rebanada de tocino grasoso cortado muy delgado, para evitar que se reseque por efecto de la cocción.

Alcachofa: Su forma es muy similar a la de una flor; las partes comestibles son el corazón y la base de las hojas, pero el heno o pelusa no se puede comer. Son preferibles las alcachofas compactas y pesadas, con las hojas verdes brillantes y muy juntas. La cocción dura de 35 a 45 minutos.

Alcaparra: Perteneciente a la familia de las caparidáceas, de la región del Mediterráneo. Botón de flor del mismo nombre que se prepara en vinagre.

Alegría: Dulce de origen prehispánico, de semillas de amaranto tostadas y piloncillo.

Alfajor: Dulce elaborado con coco, almendra y miel. Nombre que se le da en Yucatán al dulce hecho de polvorón y pinole.

Alfalfa: Las semillas germinadas son las que se destinan al consumo humano; las semillas de la alfalfa se pueden comer crudas, ya que son muy finas y tienen un sabor muy suave. Por lo regular se emplean en ensaladas, bocadillos y aperitivos, además de añadirse a los platos ya preparados justo antes de servirse.

Aliñar: Descuartizar un animal y limpiarlo de vísceras, plumas, pellejos, etc.

Almendra: La almendra dulce es la almendra comestible más conocida y se utiliza en diversos platos salados y dulces. Partidas y doradas con mantequilla se emplean como guarnición del pescado, pollo y las verduras. La pasta de almendras sirve para decorar pasteles y elaborar caramelos y bombones rellenos.

Almíbar: Líquido espeso y dulce que se prepara hirviendo agua o jugo de frutas con azúcar.

Almidón: Harina de cereales que tiene como función la de ligar.

Almuerzo: Comida de media mañana.

Aluminio: Es ligero, inoxidable y buen conductor del calor. Se usa para toda clase de ollas, cacerolas y sartenes. Es relativamente blando y se abolla con facilidad. Al contacto con alimentos que contienen ácidos, reacciona químicamente y puede dar un ligero sabor metálico al guiso. Por esta razón, a menudo se recubre o se mezcla con materiales que reducen la reacción ácida.

Amasar: Formar o trabajar una pasta con las manos, mezclando sus ingredientes, principalmente harina y algún liquido.

Anís: Es una semilla de forma similar al arroz, de origen mediterráneo. Contiene un olor y gusto muy aromáticos; se usa para infusiones, licores, repostería.

Antojitos: Bocadillos variadísimos y apetitosos; se encuentran en todas partes, en restaurantes de lujo y en puestos callejeros. Las chalupas parecen pequeños barcos de masa de maíz, con variados rellenos. Los peneques son tortillas más gruesas y de menor diámetro, cuya masa está mezclada con grasa, frijol, chile, etc. Los sopes son parecidos a las gorditas, pero se fríen. Las garnachas son abarquilladas y se rellenan de carne picada y frijol refrito. Si los bordes se pellizcan con los dedos, el antojito se llama pellizcada. Las universales tostadas son tortillas del día anterior fritas, untadas de frijoles refritos y cubiertas de variadas cosas (sobras de comida). Los molotes son rollos de masa o tortilla, rellenos y fritos.

Apio: De sabor fuerte y agradable. Buen ingrediente en sopas, ensaladas y guisados. Es rico en vitaminas y se puede encontrar durante todo el año.

Arándano negro: Forma parte de la familia de las ericáceas; se toman con nata, zumo de naranja o un chorro de grand marnier, un licor de naranja. Están deliciosos en postres, jaleas y mermeladas.

Arroz: El arroz es el alimento básico de los países orientales. De allá nos llegó en la época de la Colonia en la nao de China, que unía a las Filipinas con Acapulco y traía infinidad de mercancías para ser llevadas desde la Nueva España a la Península Ibérica. El arroz hizo de México también su casa, lugar donde se multiplicaron los platillos con base en este noble alimento o tan sólo como ingrediente. Como todo cereal, el arroz es rico en almidón y calorías, aunque pobre en proteínas. Nunca debe considerarse como un alimento completo. Es muy útil en dietas tanto para enfermos como para adelgazar, dado que es de muy fácil digestión.

Artesanías en la mesa: Los productos de los artesanos de México permiten servir mesas llenas de belleza y colorido.
Existen desde la más costosa y artística platería hasta manteles rústicos o bordados; desde objetos de madera hasta una variedad asombrosa de cobres, cerámica y barros; la artesanía mexicana ofrece una gama ilimitada de recursos a la imaginación y buen gusto de quien desee poner una mesa que sea un digno marco para la comida mexicana.

Aspicar: Poner zumo de limón a las gelatinas.

Ate: Dulce en pasta hecho con pulpa de fruta y piloncillo o azúcar. Por aféresis, según la fruta de que se hace, se dice membrillate, guayabate, duraznate, etc.

Atole: Bebida de harina de maíz disuelta en agua o leche, generalmente con sabor de frutas o especias. «Dar atole con el dedo» quiere decir embaucar a alguien. El que tiene «sangre de atole» es un tipo muy flemático.

Avena: A diferencia de la mayoría de los otros cereales, el salvado y el germen están unidos al grano de la avena incluso tras retirar la cáscara. La avena se añade a las granolas, las galletas y las tortitas; también se utiliza para espesar sopas, pasteles de carne, patés, así como también para elaborar empanadas de frutas, pasteles, cervezas y bebidas.

Azafrán: Posee unas hojas largas, verdes y lineales, que crecen formando penachos. Es originaria de Oriente, donde se ha cultivado desde siempre como especie perfumada, colorante y planta medicinal. Son los pistilos de las flores del mismo nombre. El olor es fuerte, el sabor es muy agradable y el color es amarillo fuerte. Tiene un alto costo. Es originario de la cocina española, persa y francesa. Se usa en caldos de pescado, arroces y algunos platillos exóticos.

Azúcar: El azúcar es una sustancia soluble en agua y de sabor dulce; se obtiene de la caña de azúcar y de la remolacha azucarera. Se emplea sobre todo para modificar la textura de los alimentos, realzar su sabor, endulzar los alimentos de sabor ácido o amargo, alimentar la levadura (en la fabricación del pan, por ejemplo) y como conservante.

Bacandra: Fermentado de la tuna; bebida alcohólica de los estados de Sonora y Sinaloa.

Bajío (El): Nombre popular de una fértil planicie en los estados de Guanajuato y Michoacán.

Baño María: Hervidor con recipiente doble o algún tipo de cacerola pequeña que se coloca dentro o sobre otra más grande que contiene agua. Los alimentos delicados se cocinan o calientan con el calor del agua.

Barbacoa: Carne envuelta en hojas de maguey cocinada bajo tierra.

Báscula: Hay básculas de varias clases. Nosotros preferimos una balanza en brazos de dos platillos y una docena de pesas que van desde un gramo hasta 500 g. Es muy precisa y sencilla y permite pesar con exactitud ingredientes hasta un kilo.

Bebidas: Los mexicanos, además de mares de gaseosas, toman, según sus posibilidades económicas, bebidas de escasa graduación alcohólica (fundamentalmente pulque y cerveza) y destilados de alto contenido alcohólico (tequila brandy). El tequila, gloria de Jalisco y de México, la única bebida mexicana con «denominación de origen» controlada y reconocida internacionalmente, es el mejor aperitivo para una comida mexicana. Cada ciudad, casi cada pueblo de México, tiene sus especialidades líquidas, muchas veces altamente nutritivas, como los atoles y los pulques, y otras veces de veras sorprendentes.

Bebidas fermentadas: Procedimiento tan viejo como el hombre civilizado, la fermentación transforma en alcoholes los azúcares de ciertos vegetales; así tenemos la cerveza y los vinos, que en México se producen en gran escala y con métodos industriales modernísimos.

Berenjena: Su color regular es violeta oscuro y su forma es alargada. Pele las berenjenas antes de cocerlas para quitarles el sabor amargo.

Berro: Crece junto a los ríos. Contiene sobre todo hierro y una cantidad menor de azufre. Es muy refrescante y diurético.

Betabel: Es lo mismo que remolacha o betarraga.

Bicarbonato de sodio: Es un componente importante de la levadura en polvo. Se debe guardar en un lugar fresco, seco y oscuro. En combinación con ingredientes ácidos, como la leche mazada, el yogur o el crémor tártaro, hace que las masas aumenten de volumen.

Birria: Especialmente en Jalisco, birria es una especie de barbacoa de chivo, borrego o puerco. Se cocina a vapor, y para ello hay dos métodos: uno, poner hojas de maguey en la parte inferior de la olla para que el líquido no toque la carne; y el otro, utilizar una rejilla en la olla con el mismo objeto.

Bisque: Sopa preparada exclusivamente a base de crustáceos (camarones, cangrejos, etc.), ligada con crema.

Biznaga: Cactus, cuyo tallo se cristaliza con azúcar. Planta sagrada de los aztecas.

Bolillo: Pan blanco, pequeño y con dos puntas.

Botana: Bocado que acompaña al aperitivo. Las botanas de cantina son variadas y sabrosas.

Buñuelo: Fritura de harina grande y redonda, a menudo endulzada con miel.

Cacahuacintle: Variedad de maíz, de mazorca grande y grano redondo y tierno; se emplea, por ejemplo, en la preparación de tamales cernidos.

Cacahuate: Planta papilionácea anual procedente de América, con tallo rastrero y velloso, hojas alternas lobuladas y flores amarillas. El fruto tiene cáscara coriácea y, según la variedad, dos a cuatro semillas blancas y oleaginosas, comestibles después de tostadas. Se cultiva también para la obtención del aceite. En algunos sitios se le llama maní y en España cacahuete.

Café: Es la semilla del cafeto. El café que se comercializa en el mercado internacional es verde, es decir, sin tostar, pues de esta manera se conserva mucho mayor tiempo sin que pierda su sabor. Antes de la torrefacción (tueste en seco y a altas temperaturas), procedimiento esencial con el que aparece el sabor y el aroma del café, se tienen que seleccionar y mezclar las diferentes variedades y tipos de café. El café se utiliza mucho en dulces y en repostería para preparar diversos postres.

Cajeta: Dulce de leche de cabra y azúcar, especialidad de Celaya, Guanajuato.

Calabacita: Es baja en calorías y rica en vitaminas; de muy fácil digestión. Antitóxica, laxante y diurética. Contiene mucha agua y es muy combinable con otros alimentos por su sabor tan suave.

Calabaza: Los enormes frutos de esta cucurbitácea de origen americano se utilizan en México de muchas maneras; así mismo sus semillas (o pepitas), sus flores y su versión minúscula, la calabacita. La CALABAZA en tacha es la confitada en piloncillo o azúcar de caña.

Caldos y pucheros: El puchero español se extendió por todo México llevado por los conquistadores. Así, con el tiempo llegó a formar parte de la cocina local este guiso peninsular que es al mismo tiempo un plato de sopa, otro de carne y una importante guarnición de verduras, hortalizas y legumbres. El puchero español tomó características especiales en cada región mexicana. Hoy en día contamos con diversos caldos sustanciosos que, sobre todo en los días fríos, son la mejor manera de empezar a comer. Quizá destaque entre todos, por su representatividad mestiza, el mole de olla.

Cambray: Variedad de verduras muy tiernas y pequeñas; se aplica a hortalizas, como por ejemplo cebollitas de Cambray.

Camote: En castellano, batata. En la ciudad de Puebla, llaman camote al dulce de camote, azúcar y esencia de frutas.

Campechano: Además del significado común (de buena disposición, alegre, sencillo), esta palabra se aplica en México a una mezcla de mariscos (cóctel campechaneado) y a mezclas de bebidas alcohólicas diversas.

Canela: Es la corteza de un árbol originario de Sri Lanka. Se puede usar en rajas o molida en polvo. Es muy aromática y sabor muy fuerte. Se usa mucho en postres, chocolates, pasteles, bebidas como tés y ponches.

Capear: Revolcar en harina y pasar por huevo batido por separado (primero, la clara a punto de turrón y luego, la yema).

Capirotada: Platillo nacido para utilizar el pan seco. En la actualidad, generalmente se endulza con piloncillo y se enriquece con frutas y especias, pero antiguamente las capirotadas contenían verduras, queso y carnes, y eran un tipo de sopa.

Capulín: Especie de cerezo silvestre, con frutos pequeños y sabrosos.

Cardamomo: Se cultiva en regiones templadas y hay un centenar de variantes. Los granos de la adormidera azul se usan en algunos tipos de pasteles.

Carnitas: Carne, generalmente de puerco, frita; los tacos de carnitas se encuentran entre los más populares y sabrosos.

Cazuelas de barro: Las cazuelas de barro son utilizadas en la mayoría de las recetas mexicanas tradicionales, pero su empleo no es imprescindible, aunque sí característico y típico para, por ejemplo, preparar y servir moles.

Cebada: Este cereal se añade a sopas y ragús. Se cocina tal cual o con arroz y se puede añadir en patés, croquetas. La harina de cebada se usa para espesar salsas y endulza los alimentos.

Cebolla: Es quizá la hortaliza más popular en el mundo. Desde la antigüedad ha gozado de un gran prestigio y también se le atribuyen propiedades curativas. Es un excelente desinfectante, capaz de matar gérmenes y bacterias; purifica la sangre, es laxante, diurética, un buen tónico nervioso y además ayuda a expulsar bichos del cuerpo. La cebolla es rica en vitaminas A, B y C, con la ventaja de que difícilmente se destruyen durante la cocción.

Cebollín: Es muy parecido a las cebollitas de Cambray, pero mucho más delgado y de sabor más delicado. Se puede usar con carnes, aves, pescados y mariscos, salsas, aderezos.

Cecina: Carne seca salada, a veces enchilada.

Centeno: Se utiliza en la elaboración de panes, contiene menos gluten que el trigo, el pan de centeno es menos esponjoso y tarda más en digerirse. Se utiliza para elaborar pan de centeno integral y galletas crujientes.

Cereza: Fruto del cerezo. Es una drupa con cabillo largo, casi redonda, de unos dos centímetros de diámetro, con surco lateral, piel lisa de color encarnado más o menos oscuro, y pulpa muy jugosa, dulce y comestible.

Ceviche: Pescado marinado en limón agrio y otros ingredientes; deliciosa especialidad de Acapulco.

Chalupas: Ver antojitos.

Chamberete: Caña de las patas de vacunos o puercos.

Champiñones de cultivo: Es la seta que más se consume; es delicioso como aperitivo, en ensaladas, rellenos, tortillas y quiches.

Champurrado: Bebida de atole, chocolate y piloncillo.

Charal: Pececillo lacustre que se come entero, frito o cocinado de distintas maneras. En los mercados lo venden seco.

Chayote: Fruto de una planta de la familia de las cucurbitáceas; tiene forma de gruesa pera, la cáscara tiene espinas y el interior es jugoso y de poco sabor. Se come siempre cocido.

Chía: Planta mexicana cuyas semillas, desde los tiempos de los aztecas, se usan para preparar una bebida mucilaginosa y refrescante.

Chícharos: En España se llaman guisantes.

Chicharrón: La piel gorda del cerdo se fríe en su propia grasa y el resultado crujiente y dorado es una deliciosa botana. También se emplea como ingrediente de varios platillos populares.

Chichicuilote: Avecilla, ahora casi extinta, que habita en las orillas de las lagunas.

Chilaca: Este chile es verde oscuro, largo y liso, muy picante; hay que asarlo, pelarlo y desvenarlo. Se usa para rellenar, en rajas y escabeche.

Chilaquiles: Ver tortillas.

Chile: Hay muchas variedades de chiles; a continuación se mencionan las más comunes en México.

- *Chile ancho:* Color vino aladrillado, proviene del chile poblano claro.
- *Chile cascabel o cora:* Conserva forma esférica, suena como «cascabel», muy aromático y picoso.
- *Chile de agua:* Parecido al poblano, pero más pequeño, verde claro; abunda en Oaxaca.
- *Chile de árbol:* Chile muy pequeño y picoso, para salsas y escabeches.
- *Chile de árbol seco:* En polvo se usa para aderezar frutas y verduras, también se le conoce como chile cola de rata.

Chile chipotle seco: Se seca ahumado, es rojo oscuro, arrugado, aromático y picoso. Para salsas, adobos y (entero) para sopas y guisos. Secado sin ahumar se llama MECO.

Chiles, conservación: Los chiles frescos se guardan en el refrigerador en la parte menos fría (la más baja) y se conservan así varias semanas. Con el transcurso del tiempo, pueden perder en parte su aspecto terso y brillante, pero no su sabor. Atención: no hay que envolverlos en bolsas de plástico. Los chiles secos se conservan indefinidamente en un lugar fresco y seco, siempre y cuando hayan sido comprados en buen estado, es decir debidamente secados (sin rastros de humedad) y sin insectos. Hay que eliminar aquellos que estén en malas condiciones o se vayan deteriorando.

Chiles frescos:

- *Chile güero:* Amarillo o verde claro, en el Sudeste se llama IXCATIC. Aromático, fino, sabroso; se usa en cocidos y guisos o relleno; curtido, en salsas o escabeches. Otros nombres locales: CALORO y CARIBE. El mismo chile seco se llama CHILHUACLE: de color sepia oscuro, ingrediente indispensable del mole negro de Oaxaca.
- *Chile habanero:* El más picoso y aromático, exclusivo del Sudeste. Para pucheros o guisos.
- *Chile jalapeño:* Este chile mide de 4 a 6 cm, es carnoso y de punta redonda. Para escabeche y rellenos.
- *Chile jalapeño pequeño:* Hay variedades de menor tamaño (2 a 3 cm) y mayor picor.
- *Chile japonés:* Parecido al chile serrano, pero más largo.
- *Chile morita seco:* Rojizo, picoso, aromático. Otros nombres son: MORA, CHILAILE.
- *Chile mulato:* Proviene del poblano oscuro. Para adobos, salsas y moles. También se rellena. Otro nombre: CHINO.
- *Chile pasilla:* Es largo, arrugado, rojo oscuro, aromático y con picante dulzón. Para rellenar, o en adobos y salsas. También es llamado ACHOCOLATADO.
- *Chile piquín:* Es el chile más pequeño, más conocido y quizá más picoso. Es de color verde y se vuelve rojo al madurar. Se utiliza para muchas clases de salsas. Otros nombres regionales: chiltepin, pulga, amash (en Tabasco), enano, tichusni (en Oaxaca), guindilla (en España).
- *Chile piquín seco:* Toma color rojo morado. Base de múltiples aderezos, entre ellos la salsa Tabasco.
- *Chile poblano:* Este chile es grande y más o menos verde, el más popular para rellenar: o se corta en rajas o se muele para sopas. Se asa y se pela antes de usarlo.

Chiles secos:

- *Chile guajillo:* Es largo, de piel lisa y gruesa, aromático y carnoso. Se utiliza para salsas y adobos. Cuanto más chico, más pica. Otros nombres: PUYA, COLMILLO DE ELEFANTE.
- *Chile rojo:* Del Sudeste, es base del chilmole.
- *Chile serrano:* Pequeño y puntiagudo, se come solo, en salsas crudas o cocidas, en escabeche y guisados.
- *Chile trompo:* De forma esférica y pequeño. Para salsas frescas. También se llama TROMPITA o BOLA.
- *Chile verde:* Pequeño y puntiagudo, se come solo, en salsas crudas o cocidas, en escabeche y guisados.

Chilmole: Condimento a base de chiles quemados y otras especias, usado en el Sudeste.

Chilorio: Especialidad norteña, de carne desmenuzada y condimentada con chiles y especias.

Chirimoya: Su piel escamosa cubre una pulpa de color crema, de excelente sabor aromático, comparable a un cruce de fresas con piña. Se sirve partida en dos, vaciándola con una cucharilla, o se emplea en ensaladas, tartas, pasteles o helados.

Chocolate: Antes de que entusiasmara a Europa, el chocolate era la bebida maya y azteca. La semilla de cacao se empleaba como moneda de cambio en algunas regiones del estado de Oaxaca.

Chongos: Dulce de leche curtida y cocida con almíbar.

Cilantro: Es una planta de color verde oscuro y de hojas pequeñas ligeramente redondas. Se utiliza mucho en la comida mexicana; tiende a aromatizar con su singular sabor y olor.

Ciruela: Se considera una fruta energética, diurética, desintoxicante y estimulante. La ciruela fresca es deliciosa al natural, cocida sirve para preparar mermeladas, jaleas y compotas. Se utiliza para acompañar la carne de cerdo, la caza y para elaborar salsa agridulce.

Ciruela pasa: Se trata de una ciruela deshidratada, que se consume al natural, cocida o en compota. Se añaden a pasteles y galletas. Estas ciruelas también pueden acompañar al conejo, la carne de cerdo, de ave, de caza.

Clarificar: Dar limpieza a un jugo, caldo o gelatina, ya sea espumándolo, filtrándolo, o con la adición de claras de huevo batidas.

Clavo de olor: Proviene del girasol. Tiene un sabor y aroma fuertes. Se puede adquirir entero o en polvo. Se usa con carnes frías, galletas, pasteles y postres, aderezos para marinar.

Clemole: Salsa de chile y tomate para guisar carnes, aves, mariscos, etc.

Cocada: Dulce a base de pulpa de coco. Especialidad conventual con muchas y deliciosas variaciones.

Cocinar a fuego vivo: El alimento se expone directamente al fuego o está separado de la llama por algo que distribuye el calor de manera uniforme. El fuego es directo cuando se cocina A LA PARRILLA, AL RESCOLDO (bajo cenizas), AL PASTOR, AL ASADOR, CON BROCHETAS, etc. El ahumado es un proceso que se incluye en este grupo. Lo que en otros casos separa el alimento del fuego puede ser una PLANCHA, UN COMAL, PAPEL DE ALUMINIO u otro objeto semejante.

Cocinar al horno (de gas o eléctrico): Tiene múltiples funciones: siempre rodea el alimento, ya sea descubierto, envuelto o tapado, de aire caliente. El horno permite ASAR, TOSTAR, GRATINAR, ESTOFAR, SECAR. etc.

Cocinar bajo tierra: Hay variaciones sobre este método antiquísimo y primitivo. El hoyo en la tierra se calienta con carbón o leña encendidos, o piedras muy calientes; el alimento (carne o pescado) se envuelve en hojas vegetales, se coloca adentro, se tapa el hoyo y se enciende fuego encima. Otra versión del mismo método consiste en enterrar en ARENA el alimento y encender fuego en la superficie.

Cocinar en graso: Todo aquello que se cuece con alimentos grasos.

Cocinar en magro: Proceso de cocción sin elementos grasos.

Coco: Es el fruto de una palmera tropical cuya pulpa se conserva fresca o seca y se guarda en la nevera. Su leche es una bebida refrescante y se utiliza mucho en las cocinas asiáticas. Su aceite tiene un alto contenido de colesterol.

Codcito: Antojito yucateco.

Col: Llamada también repollo, es una de las verduras más utilizadas en México. Es parte importante en sopas, pucheros, pozoles e infinidad de antojitos. Contiene hierro, azufre y vitaminas A, B y C. La col es de difícil digestión y se le reprocha un poco el mal olor que despide durante su cocción. Sin embargo, el azufre la hace buena para las personas con padecimientos reumáticos.

Coliflor: Tiene propiedades semejantes a las de la col. Es igual de indigesta que ésta y un poco menos nutritiva.

Comal: El comal tradicional es un disco de barro cocido que se coloca sobre tres piedras (los TENAMASCLES), entre las cuales se prende un fuego de carbón o leña. Antes de ser usado, hay que «curarlo», o sea frotarlo por ambos lados y varias veces con una mezcla de agua y cal, después de lo cual se pone a secar al sol. Más práctico es el comal de metal, de uso generalizado en México. Es más ligero, no es frágil, se calienta más rápidamente que el de barro y la temperatura se puede graduar fácilmente. Es un disco de lámina de hasta 80 cm. de diámetro. Se limpia con agua y jabón o detergente, y se cura sólo untándolo con unas gotas de grasa. Se oxida fácilmente, de manera que hay que secarlo por completo cada vez que se lava. Existen comales metálicos cóncavos en la parte central. Sirven para freír antojitos en grasa. Antojitos y tortillas se conservan calientes sobre el borde del comal. El comal puede ser sustituido perfectamente, en una cocina moderna, por la plancha de la estufa calentada por gas o electricidad, o hasta por una sartén grande.

Comino: Son unos granitos parecidos al arroz, pero más pequeños y delgados, de color café. Tiene un sabor y olor fuertes. Se usa en algunas salsas mexicanas, quesos, panes, principalmente en la elaboración del pan de centeno. Conservación de los chiles.

Corunda: Tamal típico de Michoacán.

Cremas y sopas: Según decía el gran gastrónomo francés Anselme Brillat-Savarin, el inmortal autor de la *Fisiología del gusto*, la sopa es a la comida lo que la obertura a la ópera, y no se equivocaba, pues una buena sopa predispone los ánimos a seguir disfrutando lo que nos servirán. Además, en momentos de frío, o incluso en días templados, nos deja un mensaje de calor, fragancia y sabor. Desde luego, si servimos una sopa omitiremos las pastas y viceversa. Además, si la sopa es sustanciosa permite una continuación digamos livianita. En cambio, una sopa liviana llana requiere, exige lo que podríamos considerar un plato fuerte (lo cual no significa una comida pesada ni indigesta).

Crémor tártaro: Es un componente de la levadura en polvo. Se debe guardar en un lugar fresco, seco y oscuro. Para obtener 1 y 1/2 cucharadita de levadura, se mezcla una cucharadita de crémor tártaro con media cucharadita de bicarbonato de sodio.

Cristalizar: Fundir azúcar al fuego hasta que esté dura y transparente.

Cuajar: Dejar espesar y solidificar un alimento hasta que pierda toda consistencia líquida.

Cucharas: En una cocina es recomendable tener este número de cucharas y similares: A. Dos cucharas METÁLICAS. B. Varias cucharas de MADERA. C. Uno o dos CUCHARONES DE METAL. D. Una ESPUMADERA. E. Una ESPÁTULA de metal y otra de plástico. F. Un MISERABLE, o sea una lámina de plástico con o sin mango que sirve para raspar toda una salsa o crema del fondo de un recipiente.

Cuchillos: Los cuchillos de acero inoxidable son los mejores (aunque existen otros superiores: los de acero al carbón, sumamente caros). No les afectan la humedad ni los ácidos y se pueden afilar perfectamente. Hay que guardarlos en un soporte donde las hojas queden protegidas. Los cuchillos más necesarios son: EL CUCHILLO DEL CHEF. El cuchillo que más usa el chef profesional, así como el cocinero aficionado, es EL CUCHILLO DEL CHEF. Es el más eficaz y el que demanda el menor esfuerzo para picar, rebanar y cortar de distintas maneras frutas, verduras y carnes. Para usarlo se debe sujetar fuertemente, manteniendo la parte de atrás de la hoja entre el pulgar y el índice. Los demás dedos rodean el mango. De esta manera el control del cuchillo es completo. Además, si el punto donde se aprieta coincide con el punto de equilibrio del cuchillo, la mano se cansa mucho menos. El alimento que se va a cortar se debe asir firmemente con la otra mano, doblando los dedos hacia abajo. En esta posición los nudillos rozan la hoja del cuchillo y sirven de guía para el corte. La parte de la hoja más próxima al mango se usa más que la punta. No hay que levantar el cuchillo más de lo necesario para tener el alimento debajo de la hoja. Hay que trabajar haciendo un movimiento oscilante con la hoja, la cual debe girar sobre su punta. Al cortar los alimentos hay que empujar hacia adelante y hacia abajo. I. Un CUCHILLO DE CHEF, con hoja de 20 centímetros, de uso general. II. Un CUCHILLO PEQUEÑO y de hoja flexible de 15 cm, para deshuesar y filetear. III. Una HACHUELA pesada y rectangular, para cortar huesos. IV. Un CUCHILLO LARGO DENTELLADO, para rebanar pan. V. Una TIJERA robusta. VI. Es indispensable una CHAIRA de acero, que debe ser usada con frecuencia para conservar el filo de los cuchillos.

Cuete: Parte del muslo de la res, algo dura. Uno de sus usos es mechado y asado. Otro, cocido y deshebrado.

Cuitlacoche: Ver huitlacoche.

Curry: Es la mezcla de varias especias en polvo. Sirve para condimentar salsas, arroces, pescados, mariscos y aves.

Decantar: Separar un líquido del poso que contiene, vertiéndolo suavemente en otro recipiente.

Desbarbar: Cortar las aletas de los pescados, así como la barba de los moluscos.

Desecar: Provocar la evaporación del agua de una preparación o de las legumbres, removiéndolas con una espátula o cuchara sobre el fuego para evitar que se pegue el alimento.

Desflemar: Remojar las especies (chiles, pimientos, cebollas) en agua con sal o vinagre, etc. Para suavizar los sabores demasiado penetrantes.

Desleír: Mezclar harina y yemas con un líquido frío para añadirlo a una preparación caliente y que no se formen grumos o se corten las yemas.

Despojar: Dejar completamente vaciado y limpio un trozo de carne, ave o pescado.

Ejotes: En España se llaman habichuelas.

Elote: Mazorca tierna del maíz.

Empanizar: Empanar, rebozar con pan.

Enchiladas: Ver tortillas.

Enchilado: Tiene varias acepciones: puede ser enchilado un queso, si está untado con chile; enchilado es un nombre de un hongo comestible muy abundante en México *(Cantharellus Cibarius)*, y enchilado es un señor colérico y enojado, o con la boca irritada por comer chile.

Eneldo: Es una planta de hojitas muy finas en forma de plumas. De aroma y sabor muy fino. Se utiliza para sopas, ensaladas, salsas, marinadas, y por su belleza se puede usar como decoración de platos.

Entradas: Generalmente se le llama primer plato de un menú. Son porciones individuales frías o calientes, como volovanes, timbales, etc.

Entremés: Son platos que no están incluidos en el menú. Se sirven antes de la comida y deben ser platos que despierten el apetito sin ser muy abundantes. Pueden ser fríos o calientes.

Epazote: Hierba de olor muy particular, ligeramente picante, ingrediente de muchos guisos y tamales. Se utiliza mucho en la cocina mexicana para la elaboración de salsas para pescados, mariscos, carnes, frijoles. Ingrediente de muchos guisos y tamales. Poderoso antihelmíntico.

Equipo de la cocina mexicana: El equipo de la cocina doméstica no puede ser indicado con exactitud: depende de demasiados factores, entre ellos las preferencias personales de quien cocina.

Escabeche: Adobo con vinagre, aceite, cebolla y hierba de olor.

Escalopar: Cortar las carnes, pescados o legumbres en láminas delgadas, en forma sesgada para lograr una mayor superficie.

Escamoles: Huevos de hormiga, manjar del estado de Hidalgo.

Espárrago: Verdura que ha gozado siempre de un gran prestigio en la cocina internacional por su delicado sabor y ha adquirido creciente aceptación en el México moderno. Los espárragos frescos son de breve temporada, aunque pueden conseguirse enlatados a lo largo del año. El espárrago es bajo en calorías y contiene vitaminas A, B y C. Se digiere fácilmente siempre que no esté aderezado con muchos condimentos.

Espelón: Frijol negro yucateco, especialmente delicioso cuando está fresco, recién sacado de su vaina.

Espesar: Dar más cuerpo a un líquido, mezclándole bolitas de mantequilla amasada, mientras se revuelve constantemente para que quede terso.

Espinaca: Hierba que se puede emplear en sopas, salsas para pasta y guisos, así como también crudas se añaden a las ensaladas; se cuecen entre 1 y 3 minutos.

Espolvorear: Cubrir un alimento con un ingrediente seco, en polvo, como harina sazonada. Esto se hace revolviendo el alimento en un tazón.

Estragón: Es una hoja larga y muy aromática. Se emplea fresco o seco. Se usa para preparar vinagretas y salsas.

Fécula de maíz: Llamada también maicena, se obtiene a partir del almidón de los granos de maíz y no contiene gluten. Como espesante, da una textura suave y ligera a las masas, es utilizada en la cocina china. Para productos de panadería y repostería se debe mezclar con otras harinas.

Finas hierbas: Es una mezcla de perejil, perifollo, cebollinos y estragón finamente picados, utilizada para condimentar platos ligeros como tortillas y ensaladas verdes. Añadidas a una mezcla de mantequilla fundida y zumo de limón, se utilizan a menudo para aromatizar el pescado o la carne a la plancha y en emulsiones a base de mantequilla, como las salsas bearnesa y holandesa.

Flamear: Rociar un platillo o bebida con algún licor, para después prenderle fuego y sellar el sabor o simplemente para darle un toque diferente.

Flan: Postre de preparado con huevos, leche y azúcar batidos y cuajados, en un molde a baño María sobre la estufa o en el horno.

Flor de calabaza: Es una verdura muy frágil que exige ser tratada con cuidado durante su preparación.

Frambuesa: Aunque suelen ser rojas, las frambuesas suelen ser negras, amarillas, naranjas, ámbar o blancas. Son aromáticas, de un sabor un poco ácido y más delicadas que las fresas. El zumo de las frambuesas se añade a los pasteles, flanes, etc.

Freír: Es un tipo rápido y efectivo de cocción. Rápido, porque las grasas se pueden calentar a altas temperaturas; efectivo, porque da un hermoso aspecto a los alimentos. Existen varias modalidades. Los alimentos se pueden freír sin REVESTIMIENTO previo, como se hace con papas rebanadas, carnes, etc. Se pueden PASAR POR HARINA, que al freír les da un aspecto atractivo; esto se hace con pescados, por ejemplo. O se pueden CAPEAR: es éste un método interesantísimo, típicamente mexicano, que se emplea principalmente para chiles rellenos. Se pueden también EMPANIZAR.

Fresas: La antepasada de las fresas de cultivo es la fresa silvestre, pequeña, jugosa y muy sabrosa. Se puede comer sola o también se pueden hacer deliciosos postres con ellas.

Frijoles: Alubias o judías. Uno de los principales alimentos populares de los mexicanos. Hay muchas variedades (bayo, negro, canario, ayacote, meco, catarino) y se prepara de muchas maneras (borrachos, de olla, refritos, colados, charros, enchilados, maneados, puercos, etc.).

Garbanzo: Los garbanzos se preparan como otras legumbres, pero no se deshacen durante la cocción. Su utilización es muy variada. Son deliciosos fríos en ensaladas mixtas; se pueden asar, dejar germinar o transformar en harina.

Garnacha: Ver antojitos.

Gelatina: Sustancia proteínica incolora, inodora e insípida que se obtiene de huesos, cartílagos, tendones u otros tejidos de buey o ternera, o de la piel de cerdo. Cuando se disuelve en agua caliente y luego se enfría, la mezcla se transforma en una masa gelatinosa.

Germen de trigo: Son pequeños copos que se obtienen de triturar el germen de los granos del trigo. Se suele añadir a los postres de frutas y se puede usar como espesante en el pastel de carne.

Glasear: Cubrir la parte superior de una carne con una fina película de caldo reducido a jarabe.

Gordita: Ver antojitos.

Granada: La piel dura y gruesa de color rosa a rojo envuelve unos receptáculos delimitados por membranas que contienen bayas de pulpa roja, dulce y jugosa, con semillas en su interior, que se pueden comer crudas. Las granadas se emplean en ensaladas de fruta, ensaladas verdes mixtas, la carne de ave y el pescado.

Gratín: Cubierta de queso rallado o pan molido que se añade antes de colocar ciertos platillos bajo el asador, a fin de obtener una atractiva costra dorada.

Grosella: Sus bayas redondas suelen ser rojas o negras. Se comen cocidas; dado su sabor agridulce, se añaden a pasteles y tartas.

Guacamole: Puré de aguacate, sazonado con cebolla, chile verde y cilantro picados.

Guajolote: Es el pavo, ave de origen mexicano. La hembra se llama pípila.

Guarnición: Preparaciones que sirven para acompañar un plato, mejorando presentación y sabor.

Guausoncle o huauzontle: Las ramitas de esta planta se capean con huevo y harina, y se fríen. Los botánicos la llaman *CHENOPODIUM BONUS HENRICUS*.

Guayaba: Existen diversas variedades de guayaba, que varían en la forma, el tamaño, el color y el sabor. La pulpa es muy aromática y un poco ácida, por lo que resulta muy refrescante. Esta fruta se consume cruda o cocida y sirve para elaborar platos dulces o salados.

Guisante: Es la semilla fresca de una leguminosa; se pueden comer crudos, pero son más dulces tras la cocción; se pueden añadir a las ensaladas mixtas.

Gusanos de maguey: Se comen fritos y son deliciosos. Los gusanos blancos (meocuil) son más apreciados que los colorados (chilocuil).

Haba: Las habas son legumbres de vainas gruesas y semillas planas de extremos redondeados; son harinosas y tienen un sabor fuerte.

Haba seca: Esta legumbre está deliciosa en sopas y estofados, ya sea entera o triturada. El haba seca se cuece con o sin piel durante dos horas y media.

Harina sazonada: Harina a la que se le añade sal y pimienta

Hicotea: Tortuga de mediana dimensión, especialidad de Tabasco.

Hierro fundido: Es excelente conductor del calor, pesado y durable. Las sartenes de hierro fundido son ideales para TORTILLAS DE HUEVO; después del uso no se lavan, sólo se limpian con papel. Se oxida fácilmente: hay que secarlo con cuidado y conviene engrasarlo ligeramente después de usado.

Hierro fundido esmaltado: Es caro pero probablemente es el material más recomendable. Es muy pesado, es conductor uniforme del calor y es muy fácil de limpiar (con agua jabonosa). Existen utensilios de toda forma y color, y son tan hermosos que se pueden llevar a la mesa.

Hinojo: Sus hojas se utilizan picadas en ensaladas, especialmente las de patatas combinadas con pescado; en salsas para pasta y en platos de arroz. Una capa formada con ramas de hinojo sirve para asar un pescado entero.

Hoja santa: Los botánicos la conocen como una yerba piperácea; el pueblo de México la llama también MOLLO o ACUYO. Es una hoja grande proveniente de un arbusto. Se usa mucho en los platillos de la cocina mexicana para condimentar carnes, salsas, tamales. Tiene excelente olor, que recuerda al del anís; se emplea en muchos guisos.

Hojaldre: Pasta horneada que consta de delgadas capas.

Hojas de plátano: Las grandes y fragantes hojas de plátano se emplean para envolver ciertos alimentos antes de cocinarlos, con lo que adquiere un sabor peculiar. Se usan sobre todo en el sudeste de México. Para suavizarlas se pasan por el fuego rápidamente o se ponen un momento al vapor.

Hornear: Meter una cosa en el horno para asarla, cocerla o dorarla.

Huacal: Caparacho de un ave.

Huauzontle o guausoncle: Las ramitas de esta planta se capean con huevo y harina y se fríen. Los botánicos la llaman *CHENOPODIUM BONUS HENRICUS*.

Huevo batido: Los huevos se emplean también como ingredientes en sopas, aderezos, ensaladas, guisados y repostería. A fin de obtener la textura deseada, existen diversos métodos para batir los componentes del huevo.

Punto de cordón: Se baten las yemas hasta que al levantar el batidor se forma una especie de cordón con las yemas. Éstas deben adquirir un color amarillo fuerte.

Punto de listón: Se baten las yemas hasta que se forma un hilo suave de yema al levantar el batidor.

Punto de nieve: Se baten las claras hasta que espesan suavemente.

Punto de turrón: Se baten las claras hasta que esponjan y se secan relativamente. La clara no debe caer al levantar el batidor. Si lo pide la receta, las yemas se añaden después de obtenido el punto, mezclándose suavemente.

Huitlacoche: Hongo negro que nace en la mazorca del maíz. Alimento exquisito.

Incorporar: Añadir, adicionar. Mezclar un ingrediente, generalmente claras batidas o cremas, sin revolver.

Ixcatic: Chile largo y de color claro, especialidad yucateca.

Jaiba: Crustáceo parecido al cangrejo.

Jalea: Dulce transparente preparado con el jugo de algunas frutas.

Jalebe: Nombre maya del tepescuintle.

Jengibre: Es una raíz que se cultiva en muchos países tropicales. El olor es perfumado, igual que el sabor. Se puede usar fresco o seco en polvo, perdiendo de esta forma su sabor y aroma. Se utiliza en carnes, aves, pescados, mariscos y repostería.

Jícama: Tubérculo de buen tamaño, duro, carnoso, blanco y de sabor fresco: se come crudo, con sal, limón y chile molido. Su nombre científico es *PECHYRHIZUS ANGULATUS*.

Jícara: Vasija hecha con el fruto del jícaro, parecido a la calabaza.

Jitomate: Jitomate mal llamado tomate. Hortaliza mexicana por antonomasia, junto con el chile. Es uno de los más importantes legados de Mesoamérica al mundo con el guajolote, el chocolate y la vainilla. Alimento muy sano, rico en vitamina C y sales minerales, el jitomate es un refrescante y poderoso aperitivo, por lo que se utiliza como ingrediente en muchísimos platillos. Personas con acidez y dispepsia deben comer este alimento con moderación.

Jugo: Zumo.

Jumil o xumil: Insecto comestible: se come crudo (más bien, vivo), o seco y molido. En Taxco Gro. anualmente se celebra la fiesta del jumil.

Laurel: Son unas hojas verde oscuro. Para usarlas deben estar secas; de lo contrario, se les forma moho. Junto con la mejorana y el tomillo son muy populares en México con el nombre de «hierbas de olor». El laurel se usa en una gran variedad de platillos, como sopas, carnes, aves, pastas, etc.

Leche: Es el más completo y equilibrado de los alimentos, exclusivo del hombre en sus primeros meses de vida y excelente en cualquier edad.

Lechuga romana: Es una lechuga con hojas alargadas tersas y muy verdes, cuyo tronco principal es rígido, crujiente y fibroso. Se debe lavar antes de meterse al frigorífico, donde puede estar de tres a cinco días máximo.

Lenteja: Legumbre que se consume desde tiempos prehistóricos; secas se pueden preparar de diversas formas.

Levadura: Ciertos hongos empleados para la fermentación de alcoholes y pastas.

Lichi: Está recubierto de una corteza roja o rosada que se oscurece a medida que la fruta se va haciendo más vieja. La pulpa translúcida es jugosa, crujiente, muy dulce y aromática. En su interior alberga un hueso no comestible; se suele consumir al natural.

Ligar: Dar consistencia a una mezcla o salsa, añadiéndose huevos, grasa derretida o crema.

Lima agria: Cítrico de extraordinario aroma y sabor, típico de Yucatán.

Limón: El limón más común en México es pequeño, verde y muy ácido. En Estados Unidos lo llaman lime (lima). Es ideal, por ejemplo, para preparar ceviches o margaritas. El cítrico que en Europa llaman limón en México se conoce como limón dulce; es amarillo y de mayor tamaño.

Macal: Tubérculo blanco. Muy usado en los pucheros de Yucatán.

Macerar: Tener en remojo un alimento en un líquido —vinagre, vino o jugo de frutas— y con especias durante un tiempo determinado.

Maguey: Agave.

Maíz: Planta sagrada de todas las civilizaciones prehispánicas. Elemento básico de la cocina mexicana, de él todo se utiliza. Los elotes frescos se comen asados o cocidos, solos o con otros alimentos. Con el grano seco y molido se hace la masa que sirve para tortillas, antojitos y tamales. Las hojas sirven para envolver tamales, quesos, mantequilla, etc. Con el cabello se prepara un té diurético.

Mamey: Árbol de origen caribeño, muy común en México, cuyo fruto es carnoso, de color rojizo, dulcísimo y contiene una o dos semillas grandes.

Mancerina: Jícara para chocolate con platito para galletas, invento del padre del virrey Antonio Sebastián de Toledo, marqués de Mancera.

Manchamanteles: Guiso de carne con chiles, frutas y diversas especies.

Mandarina: Se parece a una naranja pequeña un poco achatada. La pulpa dulce, aromática y delicada, es menos ácida que la mayoría de los cítricos. La mandarina se puede consumir tal cual, como postre o tentempié y refrescante.

Mango: El mango puede ser redondo, oval, o presentar una forma arriñonada. La piel es amarilla, verde o de color escarlata. La pulpa es pegajosa y dulce. Se puede comer crudo, sirve para elaborar jugos, mermeladas y otro tipo de postres. También se puede acompañar la carne de ave, pato y cerdo.

Manteca de cerdo: Esta grasa de cerdo fundida es una mezcla de grasas mono y poliinsaturadas. Se emplea para freír, preparar cocidos de col o carne de cerdo, y en repostería.

Manzanas: Existen diversas variedades de manzanas que se pueden utilizar casi en forma ilimitada; se pueden comer al natural, transformarlas en compota o jalea, elaborar postres, etc. La manzana también acompaña al queso, la carne y la morcilla, y se añade a las ensaladas.

Manzanilla: Es una flor silvestre de un centímetro de diámetro aproximadamente; se utiliza para infusión.

Margarina: Mantequilla artificial, compuesta de grasas vegetales.

Margarita: El más famoso de los cócteles con base de tequila (copa y media de tequila, media copa de triplesec, media copa de jugo de limón; se agita con hielo picado; se sirve en copa bordeada de sal).

Marinar: Poner a reposar un pescado en jugo, vinagre o vino y hierbas de olor por espacio de un tiempo determinado.

Martajar: Moler medianamente grueso.

Mayonesa: La mezcla sin montar es una emulsión de huevo, aceite y vinagre o jugo de limón. Al batirlas constantemente, añadiendo el aceite poco a poco, las partículas de huevo, aceite y vinagre se quedan en suspensión y la mezcla adquiere una textura suave y satinada.

Mechar: Introducir en un trozo de carne pedacitos de tocino, jamón, vegetales o condimentos con la ayuda de un instrumento punzante.

Mejorana: Es una hierba con hojas pequeñas, que se puede usar fresca o seca sin perder su aroma. Se usa mucho en la comida mexicana para aromatizar algún cocido o para salsas.

Melón: Pertenece a la misma familia de los pepinos y la calabaza; se suele comer crudo. El melón puede acompañar al jamón y los embutidos.

Membrillo. No se puede comer crudo; tradicionalmente el membrillo se usa para preparar confitura y jalea. Puede acompañar los platos de carnes y aves.

Menta: Es una planta de hojas verdes ovaladas puntiagudas, su tallo es de color rojizo, que es su principal diferencia a la vista con la hierbabuena. Su sabor fuerte es muy usado en confitería, licores y bebidas en general, además de usarse mucho en la industria alimenticia.

Menudencias: Partes u órganos de animales que pueden ser clasificados como cortes de carne ordinarios.

Menudo: Sopa de mondongo.

Mermelada: La mermelada o la confitura se obtiene por la cocción de frutas en almíbar enteras o troceadas. Las mejores se preparan con frutas ácidas, cuyo contenido en pectina es mayor. Algunas mermeladas y confituras se sazonan, a veces, con especias, alcohol u otras frutas.

Metal esmaltado: Es económico y de poco peso, pero se astilla fácilmente y es mal conductor del calor. Los alimentos se le pegan fácilmente. Recomendable solamente para hervir. Cuando empieza a descascararse se debe desechar.

Metate: El metate es una piedra volcánica rectangular (aproximadamente de 50 centímetros de largo por 30 de ancho) de superficie plana y ligeramente cóncava o curva, que se apoya sobre tres conos invertidos del mismo material, resultando un poco inclinada. Se usa para moler granos (principalmente de maíz), semillas y chiles. Para usarlo, las mujeres se arrodillan y con las dos manos asen el METLAPIL, un rodillo de piedra más grueso en el centro que en los extremos, con el cual estrujan los productos en su superficie. Otro nombre del metlapil es MANO. El metate, aún hoy de uso generalizado en rancherías y pueblos, se reemplaza con el molino manual de maíz, la licuadora o el procesador de alimentos. Además, la industria moderna ofrece muchos productos ya molidos.

Mezcal: Poderoso aguardiente destilado de una variedad de maguey. El proverbio dice: para todo mal, mezcal, y para todo bien, también.

Miel: Sustancia azucarada que fabrican las abejas a partir del néctar de las flores. La miel forma parte de una variedad casi infinita tanto de platos dulces como salados; su ventaja sobre el azúcar es que endulza muchísimo mas, por lo que se consume en cantidades menores.

Milpa: Campo de maíz.

Miltomate: Tomate verde que crece en la milpa. Más suave que el normal.

Mixiote: Hoja del maguey, usada para envolver alimentos y cocinarlos al vapor.

Molcajete: Es un mortero de piedra con tres pies, en el cual se muelen especias, chiles y hierbas. Generalmente ayudándose con un poco de líquido. Para moler, se usa mano, también de piedra, llamada TEJOLOTE o TEMACHIN.

Mole: Los aztecas para decir salsa decían «molli». Hoy por mole se entiende una salsa espesa a base de chiles y especias. Son famosos los siete moles de Oaxaca y famosísimo el mole de Puebla, preparado con treinta y cinco ingredientes y piezas de guajolote.

Mole de olla: Guiso campesino a base de res y elote, bastante caldoso. Se sirve como sopa entre los sabores, predomina el epazote.

Molinillo: Es un artefacto tradicional, compuesto de una sola pieza de madera de aproximadamente 35 centímetros de largo, trabajado en torno. El extremo inferior del palillo se ensancha en forma de esfera estriada, de un diámetro que no deja que salgan los dos o tres anillos que están tallados de la misma pieza. Se rueda entre las palmas de las manos extendidas, y se usa para batir chocolate y atoles, y provocarles la leve espuma que los hace más atractivos.

Molotes: Ver antojitos.

Moronga: Morcilla.

Mostaza: Son semillas que se secan y se muelen para fabricar la mostaza; hay presentaciones de mostaza en polvo y en pasta.

Nance (o nanche): Árbol que crece en los estados de Veracruz y Tabasco, de la familia de las malpigiáceas, cuyo fruto es parecido a la cereza. Su tronco tiene la corteza externa color café oscuro y la interna rosácea, de hojas elípticas, con vellos suaves en el envés, flores amarillas y fruto comestible, pequeño y aromático. La corteza se utiliza en la medicina tradicional.

Naranja: Se puede confitar la cáscara y la pulpa de la naranja o cocerlas para elaborar mermelada. También se extrae una esencia utilizada en la repostería. La naranja añade un toque especial a salsas, verduras, ensaladas de arroz, pollo y mariscos, que combinan bien con el pato, buey y cerdo.

Natillas: Postre preparado con leche, huevos y azúcar. Se come crudo, en jalea, pasta, etc. Y se conserva en alcohol.

Nixtamal: Proceso de «curación» del maíz con cal para la elaboración de tortillas.

Nogada: Salsa de nueces.

Nopal: El cactus que produce las tunas. Quitadas las espinas, las pencas sirven de base para ensaladas y salsas.

Nuez: Es el fruto del nogal. La nuez se come a menudo como tentempié, también se añade a algunos postres y ensaladas y se usa para acompañar al queso y otros platos. También se utiliza como condimento para las salsas elaboradas para acompañar los platos de pasta.

Nuez moscada: Es un grano del tamaño de una nuez pequeña, que una vez seca se muele y se emplea en forma de polvo. Se puede usar en salsas, con verduras, potajes y en repostería.

Obturar: Comenzar a cocinar a fuego vivo.

Olla de presión: Los frijoles son los responsables de la gran difusión del uso de la olla a presión en México. Los frijoles tardan mucho en cocerse, y se comen todos los días en la mayoría de las mesas. A la altura de la Ciudad de México, en olla común los frijoles tardan de dos a tres horas en cocerse; en olla de presión, de 30 a 45 minutos. Resulta enorme el ahorro de tiempo y combustible.

Olla tamalera: Es un invento prehispánico; modernizado, en época reciente es una olla de aluminio bastante honda con una rejilla o una lámina perforada a poca distancia del fondo, y una tapa. Generalmente, está dividida en dos partes separables para facilitar su manejo.

Ollas: Recipiente utilizado para cocer y guisar los alimentos. Es importante conocer las características de los materiales con que se fabrican estos utensilios: aluminio, cobre, hierro fundido, etc.

Orégano: Son hojitas que se emplean generalmente secas; se pueden encontrar enteras o en polvo. Tiene un sabor muy particular, un poco fuerte. Es muy usado en la comida italiana en las salsas para pastas o pizzas, al igual que para vinagretas.

Ostión: Ostra.

Pambazo: Uno de los panes más populares.

Pan dulce: Hay centenares de ellos y tienen nombres curiosos, tradicionales y divertidos: concha, cocol, chilindrina, crema, marquesote, gachupín, guarache, chorreada, trompón, sargento, etc.

Pancita: Tripa.

Papa: Patata.

Papaloquelite: Planta comestible cruda. Pápalotl, en azteca, significa mariposa.

Papatzul (o papazul): Plato finísimo de la comida yucateca. La palabra en maya significa «COMIDA SEÑORES».

Papaya: Esta fruta adquiere un color amarillo, anaranjado una vez madura. Se puede consumir cruda, se puede cocer para elaborar confituras, combina bien con el jamón y el salmón.

Paprika: Un chile cultivado en Europa, principalmente en Hungría, dio una variante de la que salió esta especia. Este chile se seca y muele para usarlo en polvo. Se usa para diferentes guisos de carnes, pescados y salsas.

Pasa: Son algunas variedades de uvas deshidratadas que más se comercializan. Las uvas pasas se emplean como condimento o como ingrediente en un número amplio de comidas. Se añaden a cereales, salsas rellenas de ave, tartas, panes, galletas y bollos.

Pastas: Nadie sabe en realidad de dónde vino la pasta o, mejor dicho, dónde apareció. Los napolitanos han sostenido su paternidad e incluso le han inventado leyendas muy imaginativas, pero poco verosímiles, con el fin de apropiársela más. Pero, aunque seguramente los macarrones no nacieron en el sur de Italia, es allí donde el arte de la pasta alcanzó su mayor exquisitez. Parece más probable que la pasta haya sido un legado de la antigua China, pues Marco Polo se refiere a ella. También se populariza en Grecia, donde seguramente tomó el conocido nombre de macarrón (de makros, largo, y de makares, bienaventurados los difuntos, en cuyo honor se preparaban platillos a base de pasta). Muy probable es que de Grecia haya llegado la pasta a Nápoles, que durante algún tiempo fue colonia del imperio griego. Ya en la historia moderna, la pasta es aceptada ampliamente en España, sobre todo a partir del siglo XVI, época del virreinato español en Nápoles, de donde los españoles la traen a su vez a tierras mexicanas. Diversas formas de pasta, de la gran variedad existente, fueron adaptadas, pues, a la dieta mexicana. La nobleza de esa neutral combinación a base de harina y huevo encontró un acoplamiento perfecto con los ingredientes clásicos de México, haciendo mestizo lo que en un principio fue una aportación eminentemente europea.

Patatas o papas: Tubérculo de una planta original de Sudamérica utilizado para preparar un sinfín de platillos. La patata siempre se consume cocida, ya que está compuesta de un 20 por 100 de almidón no comestible. Se puede cocinar de diversas formas: hervida, cocida al vapor o al horno, frita o dorada, o en forma de puré.

Pejelagarto: Nombre popular del *LEPIDOSEUS VIRIDIS*, impresionante pez de agua dulce, con hocico alargado y puntiagudo, y filas de dientes largos y punzantes, común en Tabasco.

Pelliacada: Ver antojitos.

Peneques: Ver antojitos.

Pepino: Existen diferentes variedades de pepinos; es mejor el pepino verde y duro sin manchas amarillas y de tamaño medio. Cuanto más grandes, es mayor la posibilidad de que sean amargos. En general, el pepino se come crudo, pero también se puede cocer y preparar.

Pepita de calabaza: Es la semilla seca de la calabaza, se utiliza en la elaboración de moles, pipianes y salsas de la cocina mexicana.

Peras: Es una fruta que se puede utilizar casi de tantas formas como la manzana. Se come cruda, cocida, deshidratada y confitada.

Perejil chino: Se usa principalmente para adornar platillos.

Perejil liso: Es un plantita con hojas verdes. El perejil simple se usa en una gran variedad de guisos para aromatizar y dar sabor.

Pibil: Manera clásica de cocinar carnes, envueltas en hojas de plátano, en horno subterráneo (PIB) sin grasas.

Picante: Para el cocinero, los chiles tienen dos cualidades: sabor y picor. El exceso del picante puede, a veces, ocultar el sabor. Se puede decir que el secreto de la cocina mexicana consiste en el dominio y el control de los chiles, en dosificar el picante y equilibrarlo con el sabor. La sustancia que hace picantes a los chiles es la CAPSICINA, que se encuentra en la parte interior (o placenta) de los chiles, en las venas y semillas. La parte carnosa del chile es la que tiene más sabor. El grado de picante del chile se regula como sigue: se emplea con venas, semilla y placenta (o sea, sin limpiarlo), PARA LOGRAR SU MÁXIMO DE PICANTE. Se hierve o se tuesta, después de lo cual se abre y se le quitan venas y semillas, PARA REDUCIR PARCIALMENTE EL PICANTE. Si se conserva parte de las venas y semillas, se aumentará el grado del picante. Antes de utilizarlos, de tostarlos, o pelarlos o remojarlos, se abren y se les quitan venas y semillas: así se logra ELIMINAR TOTALMENTE (O CASI) EL PICANTE. Una vez limpiado el chile, aun con el método anterior, es posible que siga ligeramente picante. Para reducir el picante al mínimo, se remoja.

Piloncillo: Azúcar oscura sin refinar que se vende en forma de cono truncado como subproducto del proceso de refinado. Se sustituye con azúcar morena.

Pimentón: Un chile cultivado en Europa, principalmente en Hungría, dio una variante de la que salió esta especia. Este chile se seca y muele para usarlo en polvo. Se usa para diferentes guisos de carnes, pescados y salsas.

Pimienta: Son semillas redondas pequeñitas y otras un poco más grandes que se pueden usar enteras o en polvo. Según la manera en que son procesadas, se tratará de:

Pimienta blanca: Son los frutos maduros puestos a remojo en agua, que una vez pelados descubren los granos blancos interiores que son secados a continuación. De sabor más suave que la negra, se puede utilizar en encurtidos o en platos de pescado.

Pimienta negra: Son los frutos verdes secados al sol; la piel se arruga y se vuelve negra. De intenso sabor picante, podemos utilizar los granos enteros en caldos y marinadas.

Pimienta verde: Son los frutos recogidos antes de que maduren. Su sabor es algo más suave y frutal, pero no sin el toque picante. Se puede conservar en salmuera o en vinagre. Se puede utilizar en platos de aves, carnes o pescados.

Se puede usar la pimienta en muchísimos platillos, es una de las especias más conocidas.

Pinole: Harina de maíz tostado, o la bebida preparada agregándole agua y batiéndolo, solo o con azúcar, cacao, canela, achiote, etc.

Piña: Anana. Es un ingrediente agridulce común en los platos; sirve para acompañar el pato o la carne de cerdo y se puede añadir en ensaladas de pollo o de gambas.

Pipián: Salsa a base de semillas de calabaza. Hay pipianes verdes o rojos, según el color de la pepita o demás especies que contenga.

Pitahaya: Fruto de un cactus, cremoso, parecido a la tuna.

Plátano: Fruta de amplia producción y variados usos. Las hojas en el Sudeste se emplean para envolver carnes asadas pibil. Las variedades más comunes son: MACHO, grande y consistente; ROATÁN, el más conocido en el mundo; el DOMINICO, pequeño y dulce.

Pomelo o toronja: Su corteza suele ser amarilla o de un tono rosado; la pulpa es amarilla, rosada o roja; se suele comer cruda, también puede acompañar al pato, al pollo, la carne de cerdo; en las recetas se emplea como sustituto de la naranja o la piña.

Poro: De características parecidas a las de la cebolla. También es desinfectante y diurético. Tiene una gran cantidad de vitamina C.

Pozol: Bebida tradicional tabasqueña, a base de masa de nixtamal y agua. Es común dejarla fermentar unos días y aderezarla con sal, pimienta, azúcar o chile. Cuando se le agrega cacao, se le llama CHOROTE.

Pozole: Vigorizante sopa de carne y cacahuazintle, especialidad de Jalisco.

Prensa para hacer tortillas: Si usted desea hacer sus propias tortillas, no hay posible sustituto de la PRENSA PARA TORTILLAS. Este ingenioso y sencillo instrumento representa un gran adelanto sobre el método antiguo (y aún hoy ampliamente difundido) de hacer tortillas a mano. Las prensas de MADERA son pintorescas, pero poco funcionales. Las de METAL (hierro fundido) son mucho más prácticas, eficientes y durables. Se hacen de diámetros variables entre 14 y 16 centímetros.

Pulque: Bebida popular ligeramente alcohólica obtenida de la fermentación del aguamiel, o sea el jugo del maguey. Hay pulques «curados» con sabor a frutas, a apio, a chocolate, etc.

Puntos de huevo batido: Los huevos se emplean también como ingredientes en sopas, aderezos, ensaladas, guisados y repostería. A fin de obtener la textura deseada, existen diversos métodos para batir los componentes del huevo.

Punto de cordón: Se baten las yemas hasta que al levantar el batidor se forma una especie de cordón con las yemas. Éstas deben adquirir un color amarillo fuerte.

Punto de listón: Se baten las yemas hasta que se forma un hilo suave de yema al levantar el batidor.

Punto de nieve: Se baten las claras hasta que espesan suavemente.

Punto de turrón: Se baten las claras hasta que esponjan y se secan relativamente. La clara no debe caer al levantar el batidor. Si lo pide la receta, las yemas se añaden después de obtenido el punto, mezclándose suavemente.

Rábano: Es un tubérculo o fruto carnoso subterráneo. Es de color rojo, aunque por dentro de blanco, tiene olor fuerte y sabor picante; se utiliza en muchas ensaladas y para acompañar antojitos mexicanos.

Rajas: Se refiere generalmente a las rebanadas de chile poblano u otro.

Recaudo: Conjunto de especias y otros ingredientes para condimentar carnes o pescados.

Reducir: Hervir un preparado líquido para que, por evaporación, resulte más concentrado y sustancioso.

Rehogar: Dorar en grasa un alimento antes de estofarlo.

Revolcar: Pasar algo por harina y azúcar.

Risolar: Dorar por todos sus lados una carne antes de remojarla o cubrirla para terminar su cocción.

Romero: Es una planta de hojitas muy delgadas con un olor muy aromático. Es preferible utilizarlo fresco que seco, ya que se obtiene mejor sabor. Condimenta perfectamente la carne de cerdo, cordero, pescados; se usa también para darle olor y sabor al vinagre.

Romeritos: Verdura silvestre que se cocina de diferentes maneras.

Rompope: Nutritiva y conventual bebida a base de yemas, azúcar y leche, con algún vino generoso.

Ruda: Se emplea a menudo en ensaladas verdes mixtas.

Sábalo: Pez típico de las aguas de Campeche.

Sal: Se añade a gran parte de la comida, incluso a la dulce, para resaltar su sabor. Variedades: gorda, fina, mineral, marina, de mesa, aromática y de especias.

Sal de ajo: Es una mezcla de ajo deshidratado molido y sal. Se usa para aderezar zumos de hortalizas, salsa para pastas, ensaladas, guisos y sopas.

Salbutes: Antojito yucateco.

Salsa mexicana: Omnipresente combinación de chile verde, jitomate y cebolla, todo ello picado.

Saltear: Dorar un alimento en aceite o mantequilla para sellar los jugos. Aunque se utiliza casi como sinónimo de freír, implica un fuego más lento, a menos que se indique lo contrario.

Salvia: Es una planta con hojas gris verdoso, aromáticas, que se debe usar en pequeñas cantidades. Se sugiere para aderezar pescados, aves, carne de cerdo.

Sancochar: Cocer algo ligeramente sin dejar que llegue a ablandarse.

Sandía: La pulpa de la sandía suele ser roja, aunque a veces suele ser blanca, amarilla o rosada. Esta fruta se suele comer cruda y sirve para elaborar sorbetes.

Sartén: Es un utensilio de cocina, utilizado para los guisos de alimentos. El sartén tiene como singular característica un mango para poderlo tomar y facilitar el uso de éste. Puede ser fabricado de diferentes materiales como pueden ser: aluminio, cobre, hierro fundido, etc.

Sazonar: Poner condimentos a un alimento para darle mayor sabor.

Semilla de alcaravea: Es una semilla muy similar en forma al comino, pero de color entre paja y verdoso. Se utiliza en la elaboración de panes, galletas y dips; también en cocidos de res, cerdo y ternera.

Semilla de amaranto: Es un cereal poco conocido en otros países. Son pequeñas bolitas color paja de poco peso. Por su alto contenido de nutrimentos se está empezando a usar más en la cocina como en pasteles, panes, galletas, dulces (como la famosa «alegría»), así como guarnición para macedonia de frutas.

Semilla de cilantro: Es del tamaño de una pimienta negra. Su origen es mediterráneo. Se utiliza para condimentar varios guisos, así como para vinagretas.

Semilla de girasol: Se utiliza pelada y entera como ingrediente en la elaboración de panes; es fuente de proteínas y fibra.

Semilla de hinojo: Tiene la misma forma que la semilla de alcaravea y el comino, pero de tamaño un poco mayor. Su color es paja claro. Se puede usar entera o partida en las salsas de tomate para el espagueti o pizza, en la preparación de guisos con carne de res o cerdo, con pescados, verduras y lentejas.

Semilla de mostaza: Las semillas blancas se utilizan en la cocina asiática, en encurtidos, marinadas, para condimentar salchichas y en la salsa de mostaza. Las semillas negras se usan en platos picantes y para hacer aceite. La mostaza en polvo es una mezcla de las dos semillas.

Soconostle: Ver Xoconostle.

Sofreír: Freír los alimentos a fuego suave hasta que tomen buen color dorado.

Sopas secas: Aunque parezca contradictorio para muchos, en México tenemos sopas secas. Son, en ocasiones, el primer platillo del menú, sobre todo cuando el clima es tan cálido que no es necesaria la suculenta sopa caldada; son, en otras ocasiones, el platillo que sigue al caldo, sobre todo si se trata de la popular sopa de arroz. Las sopas secas más comunes son, pues, la de arroz, la de pasta y la de tortilla. Según los entendidos, las sopas secas, en especial la de arroz, absorben el exceso de líquido dejado por el caldo o la sopa caldada, preparando así al estómago para recibir los guisos fuertes.

Sopas y cremas: Según decía el gran gastrónomo francés Anselme Brillat-Savarin, el inmortal autor de la *Fisiología del gusto*, la sopa es a la comida lo que la obertura a la ópera, y no se equivocaba, pues una buena sopa predispone los ánimos a seguir disfrutando lo que nos servirán. Además, en momentos de frío, o incluso en días templados, nos deja un mensaje de calor, fragancia y sabor. Desde luego, si servimos una sopa omitiremos las pastas y viceversa. Además, si la sopa es sustanciosa permite una continuación digamos livianita. En cambio, una sopa liviana, llana, requiere, exige lo que podríamos considerar un plato fuerte (lo cual no significa una comida pesada ni indigesta). También se prestará atención al color y a la presentación de la sopa, en la cual podrían sobrenadar elementos visuales y de sabor que le confieren un matiz agradable: perejil muy picado, cuadritos de pan frito y tantos otros creados por la imaginación inagotable de los grandes chefs y las amas de casa.

Tamales: Mezcla de masa batida con grasa, rellena y condimentada a la usanza de cada lugar, envuelta en hoja de maíz o plátano y cocida al vapor.

Tamarindo: Fruto del árbol del mismo nombre. Se utiliza fresco, seco, confitado, en pasta o en almíbar, y sirve tanto de alimento como de condimento. Se añade a salsas, marinadas, guisos, pasteles y golosinas; y acompaña a la carne, o la caza y el pescado. Su acidez acentúa el sabor de la fruta. También se recurre a él para preparar mermeladas, chutneys y bebidas.

Tasajo: Otro nombre de la cecina.

Tatemar: Asar algo hasta que dore sobre un comal, plancha o parrilla.

Tazas de medir: La más popular es la que contiene hasta un cuarto de litro. Es muy útil también la taza de un litro de capacidad.

Tehuacán: Pueblo del estado de Puebla, famoso por sus aguas minerales. En México no se pide una botella de agua mineral, se pide un tehuacán.

Telera: Pan especial para tortas.

Tepache: Refrescante bebida fermentada, a base de piña.

Tepesco: Mezcla de hojas de palma no muy secas y otros vegetales aromáticos, para ahumar carnes y mariscos.

Tepescuintle (o tepesculcle): Roedor del tamaño de un conejo, pero más grueso. Su carne es excelente, común en el Sudeste.

Tequila: Aguardiente con denominación de origen, destilado del ágave, una de las glorias de México. Proveniente de Tequila, Jalisco; de ahí el nombre.

Termómetros de horno: Un horno equipado con termómetro (y, aún mejor, con termómetro y reloj) es muy útil. Existen termómetros para medir la temperatura interior del horno y la temperatura de una pieza de carne o ave que se está horneando. Muchos congeladores y refrigeradores tienen medidores de su temperatura interior.

Tomatillo: Hortaliza originaria de México. Es una excelente alternativa para ampliar y enriquecer las utilizaciones del jitomate. Se usa en sopas, guisados típicos, antojitos y para dar variedad a las salsas, vistiendo a todos estos platillos con su vivo color verde. En los campos mexicanos existen cuatro tipos de tomatillo: el de milpa, que es pequeño y ácido; el mediano, ácido; el mediano, semidulce, y el grande, que es dulce y de pulpa blanca. De todo ellos, los más pequeños y ácidos son los que dan mejor sazón a los platillos.

Tomillo: Junto con la mejorana y el laurel se conocen en México como hierbas de olor; por su aroma y sabor es muy apreciado para condimentar potajes, carnes, salsas y verduras.

Tortillas: Sustituyen al pan de trigo; discos redondos de masa de maíz, se tuestan brevemente. Algunas de sus variadísimas utilizaciones:

- Cortadas en cuatro: se doblan y sirven de cuchara. Los mismos triángulos tostados y fritos se llaman totopos.

- Enchiladas: dobladas en dos, mojadas en salsa, acompañadas de pollo deshebrado, queso y crema.

- Tostadas o fritas, crujientes.

- Taco: tortilla enrollada con cualquier relleno.

- Chilaquiles: tortillas de varios días cocinadas en salsa de queso y crema.

Tostadas: Ver aperitivos.

Tostar: Dorar al horno o por medio de brazas la parte exterior de cualquier preparación.

Totopos: Ver tortillas.

Trigo: El trigo es, como el arroz, un alimento básico en la alimentación; se utiliza para la elaboración de harinas de repostería y para los productos de panadería.

Trinchar: Cortar las aves y las carnes ya preparadas.

Tuba: Jugo de palma fermentado, bebida popular en la costa occidental.

Tuna: Oriundo de Sudamérica y traído a Europa por Cristóbal Colón, crece en las regiones mediterráneas. Fruta de la familia del cactus, se debe manipular con cuidado por sus espinas afiladas.

Uchepos: Tamales de maíz tierno, especialidad de Michoacán.

Utensilios:

- LICUADORA. Es casi indispensable.
- BATIDORA (hay cómodos modelos eléctricos muy versátiles); ahorra mucho esfuerzo a los aficionados a las cremas chantillí, las mayonesas y los merengues.
- Tres RECIPIENTES para amasar, batir y similares; los de acero son más ligeros, duraderos y prácticos que los de vidrio.
- Un MOLINO de carne. Manual o eléctrico.
- Un PRENSAPAPAS.
- Un EXPRIMIDOR DE JUGOS. El exprimidor metálico manual que se ve en puestos callejeros y de mercados ha sido considerado tan hermosamente funcional que un ejemplar se encuentra en el Museo de Arte Moderno de Nueva York.
- Una TABLA DE AMASAR. Con su RODILLO de madera.
- Una o dos TABLAS de madera o plástico de diferentes medidas para picar, cortar, rebanar y trinchar.
- Un METATE.
- Un MOLCAJETE.
- Un MOLINO PARA NIXTAMAL.

Uva: Es el ingrediente básico del vino y de varias bebidas alcohólicas. Se añade a salsas, rellenos, currys y ensaladas mixtas, y sirve para preparar tartas, flanes, mermelada y jalea.

Vaciar: Limpiar el interior de un ave, pieza de caza o pescado.

Vainilla: Otro aporte de México a la repostería del mundo. Es la vaina de una orquídea muy perfumada, que se puede usar en vaina o también en extracto. Se usa mucho en natillas, helados y pastelería en general.

Xoconostle (o soconostle): Variedad de tuna ligeramente agria. Se usa para hacer pucheros.

Xumil o jumil: Insecto comestible: se come crudo (más bien, vivo), o seco y molido. En Taxco Gro, anualmente se celebra la fiesta del jumil.

Yerbabuena: Es una hierba de color verde oscuro y de hojas muy bonitas, similar a la menta, por lo que suelen confundirse. Es muy aromática, de sabor ligeramente dulzón. Se utiliza para aderezar ensaladas, salsas, jaleas. Sus hojas frescas se usan mucho para decorar platillos.

Yogur: Leche sometida a la acción de una bacteria inocua, antes se tomaba con miel o mermelada, actualmente se fabrican de varios sabores.

Zacahuil: Tamal de descomunal tamaño, que contiene un cochinillo entero, aves, etc. Se hace para fiestas, o para vender en porciones, en los estados de San Luis Potosí, Tlaxcala, Veracruz y Tamaulipas.

Zacate: Estropajo de fibras vegetales. Se usa para refregar sartenes, vajillas, y para darse masaje en el baño.

Zapote: Árbol de tierra húmeda y caliente, cuyo fruto deliciosamente dulce tiene carne suave y rojiza. Hay variedad CHICOZAPOTES, ZAPOTE BLANCO, ZAPOTE NEGRO, etc.

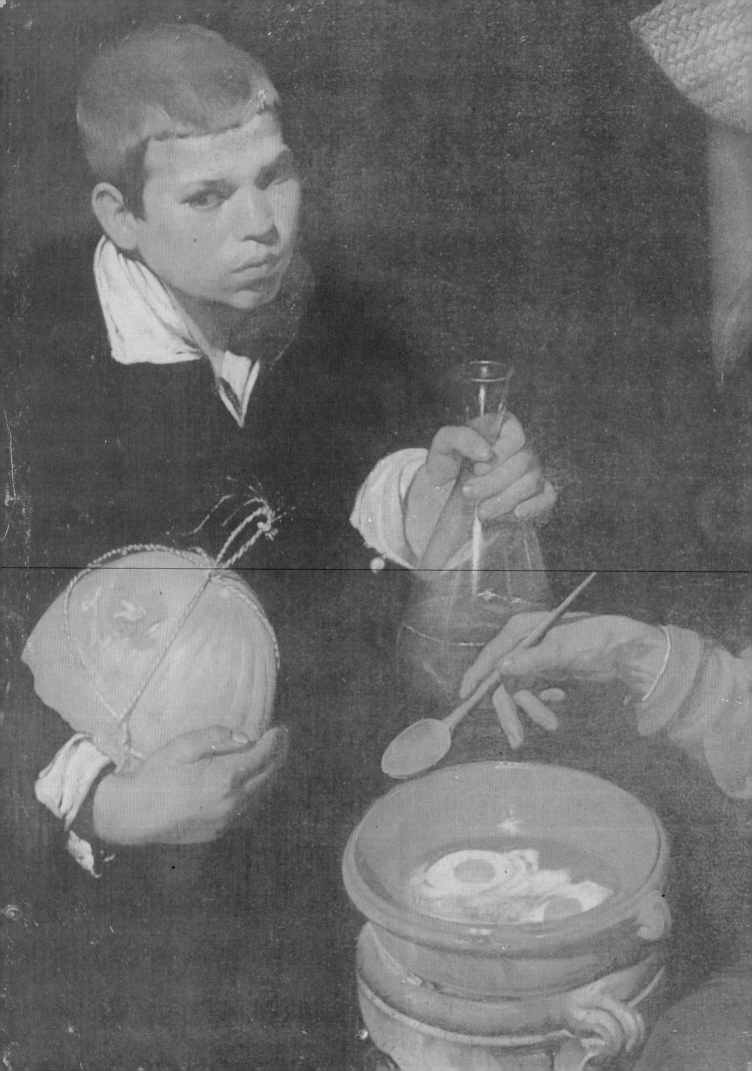